les carnets de super Nanny

Fini colères & caprices !

hachette PRATIQUE M6 EDITIONS

Sommaire

Sommaire

Avant-propos

Vos enfants, vous les avez, vous les aimez, vous les «sentez». Vous «sentez» ce qu'il faut faire quand ils sont tristes, fatigués, contrariés. Et comme vous êtes à leur écoute, vous faites juste. Mais il arrive que l'on se réveille un matin avec la désagréable sensation d'un glissement sournois. Subitement, on se sent dépassé : cris, chamailleries, récriminations, désobéissances, gros mots ont envahi l'espace familial et piétinent votre espace intérieur. Vous avez raté une marche, vous ne savez plus trop quand ni comment, mais ce que vous savez, c'est que vous avez laissé faire. Et aujourd'hui, vous avez l'impression qu'il est trop tard. Vous vous fustigez en vous traitant de « mauvais parent ». Et vous vous dites que vous n'y arriverez jamais...

Faux ! On peut y arriver ! Il suffit, et ce, à tout moment, d'un tout petit recalage du comportement chez l'adulte pour apporter une modification considérable dans celui de l'enfant. Pour se construire, il a besoin que ses parents lui résistent. L'enfant attend que l'adulte lui pose des limites claires et des interdits, dont il va sans cesse tester l'élasticité. Par son attitude capricieuse, désobéissante ou rebelle, il demande cela inconsciemment à ses parents.

Ceux qui ont suivi l'émission *Super Nanny* sur M6 connaissent déjà un peu ma méthode «commando» d'assistance aux parents désemparés. Elle est simple, basée sur le bon sens et quelques règles fondamentales. Elle a pour mission de rétablir ce que j'appelle la «relation d'autorité» entre

l'adulte et l'enfant. En aucun cas elle ne veut changer la nature de chacun, mais seulement réparer ce petit truc qui « coince » dans leur relation d'autorité. J'aide les parents à déculpabiliser, à trouver les ressources pour colmater cette petite marche, non à construire tout un escalier.

Ces petits carnets ont pour objectif de redéfinir un principe fondamental : « Il n'y a pas d'éducation sans autorité », et d'apporter aux parents pour la faire exister des outils pratiques à puiser dans leur comportement.

Cathy

Voici quelques livres à lire avec votre enfant...

- *Grosse colère*, Mireille d'Allancé, École des loisirs.
- *Émilie, Les cousins*, Mireille Pressensé, Casterman.
- *Non, non et non !*, Mireille d'Allancé, École des loisirs.
- *Le Roi crocodile*, Grégoire Solotareff, École des loisirs.
- *La Brouille*, Claude Boujon, École des loisirs.
- *M. Non*, Roger Hargreaves et Colette Hus-David, Hachette Jeunesse.
- *M. Grincheux*, Roger Hargreaves, Hachette Jeunesse.
- *Max ne veut pas se laver*, Dominique de Saint Mars et Serge Bloch, Calligram.
- *Lili se fait toujours gronder*, Dominique de Saint Mars et Serge Bloch, Calligram.

Colère, mode d'emploi

Les premières colères chez l'enfant laissent souvent les parents désemparés. Comment tant de violence peut exister dans un si petit corps ? Pourquoi est-il en colère et à quoi cela peut-il bien servir ? Quelle attitude avoir face à la colère ? Comment aider mon enfant ? Pour commencer à répondre à ces questions, petit voyage au pays de la colère : son origine, ses raisons, ses débordements.

La découverte des limites à sa volonté

À partir de 2 ans, votre enfant entre dans une période d'opposition et d'affirmation de soi. En même temps qu'apparaît le langage, il découvre le « non ». C'est l'occasion pour lui de rechercher les premières limites à sa volonté.

* La première colère

Un petit est face à de nombreux défis. Il veut empiler des cubes et tout s'effondre, il veut aller dans la cuisine mais une barrière ou un «grand» l'empêche de passer… En plus, il lui semble que personne ne comprend ce qu'il veut dire quand il essaye de parler. Voilà, la frustration est là ! Et pour réagir à ce sentiment désagréable, il va utiliser le seul moyen à sa portée : son propre corps. Par les cris et les gestes, il va manifester son dépit et vivre sa première colère.

En règle générale, si c'est le premier enfant de la famille, son attitude entraîne chez les adultes un instant de stupeur mêlé d'angoisse. Ce petit être vient d'exprimer une violence qui ne laisse pas indifférent : de grosses larmes, des cris déchirants, voire des coups, donnés sur des objets, sur des personnes ou sur lui-même.

* Comment réagir ?

Cette première crise n'a rien d'extraordinaire. Elle est le signal que les parents vont devoir transmettre à leur enfant une nouvelle chose : comment contrôler sa colère. Cet apprentissage lui permettra d'avoir des rapports agréables avec ses proches et le préparera à affronter les multiples frustrations que l'on rencontre au cours de la vie.

Mais en attendant, il est là, encore tout tremblant de l'énergie qu'il a déployée. Sûrement un peu perdu face à cette sensation et face à ces regards qui le voient pour la première fois dans un tel état. Il faut tout d'abord l'aider à se calmer, à reprendre son souffle. Si la raison de sa colère paraît évidente, faites-lui ensuite comprendre que vous avez bien saisi pourquoi il était si furieux. Si sa colère s'est exprimée par des coups, dites-lui tout de suite que l'on ne tape pas. Enfin, n'oubliez pas un petit câlin pour le rassurer, car il vient de traverser une nouvelle épreuve.

Le spasme du sanglot

La force de certaines colères est telle que l'enfant n'arrive plus à se contrôler. Il est tout rouge, a du mal à reprendre son souffle, hoquette, et peut même s'évanouir quelques instants. Son corps devenu mou est parcouru de contractions musculaires et ses yeux sont révulsés. Après quelques secondes, il respire à nouveau normalement et reprend conscience. Si impressionnant soit-il, ce « spasme du sanglot » n'est pas grave. Et une inquiétude trop marquée par les parents peut renforcer sa fréquence. Si c'est le cas, faites-vous aider par un médecin.

* Et après ?

Quant à vous, vous pensez entrer dans une nouvelle ère d'épreuves. Non, non, ne soyez pas effrayé ! Rien dans la colère d'un enfant n'est insurmontable. Il va vous falloir en revanche de la constance, de la volonté et une bonne dose de calme. Car un nouveau rapport de force vient de s'installer.

L'effet de sa colère sur vous n'a pas échappé à l'enfant. Et quand il va voir ses désirs contrecarrés, il va réutiliser ce

moyen d'expression. D'abord parce qu'il n'a pas beaucoup d'autres façons de dire sa frustration, mais aussi parce que parfois ça marche. Si la colère est un moyen d'obtenir ce qu'il veut, pourquoi changer une méthode qui fonctionne ? Ce n'est pas pour autant que son comportement résulte d'un calcul prémédité et volontaire. Vous n'avez pas affaire à un terrible manipulateur, juste à un petit qui découvre que le monde n'est pas comme il le veut. Pour surmonter ce nouveau défi, il va faire appel à vous, même si cela se manifeste par de grands cris et de longs sanglots.

Comprendre sa colère

L'enfant en colère est en général furieux de sa propre impuissance ou des limites qu'on lui impose. Ses parents vont devoir lui apprendre à exprimer autrement ses frustrations.

* Les fausses idées

« Quand il crie, cela montre qu'il a du caractère. » **Faux**. Manifester sa frustration par des hurlements, des sanglots sans fin et par la violence n'est pas la marque d'un caractère affirmé et bien forgé. Cela indique simplement que l'enfant ne sait pas encore contrôler et verbaliser ses envies.

« M'opposer à ses désirs, c'est le rendre malheureux. » **Faux**.
C'est en posant des interdits clairs et en l'aidant à faire un tri dans ses désirs que l'on permet à son enfant de se construire. C'est en lui apprenant à gérer sa frustration qu'on le prépare à vivre plus facilement en société.

« S'il n'assouvit pas ses désirs, plus tard, il sera craintif et inhibé. » **Faux.**
Si on lui permet de ne pas prendre ses désirs pour la réalité, il comprend qu'il n'est pas tout-puissant. Il est plus à même d'affronter la vie en société, car il sait manier le compromis pour communiquer avec les autres.

« Si je lui dis non, il ne va plus m'aimer. » **Faux.**
Dans le « non », il n'est pas question d'un manque d'amour. Votre enfant a besoin de ce « non » pour se rassurer, pour trouver les limites qui lui permettront d'avancer. Ne laissez pas une culpabilité fausse vous détourner de votre rôle de parent : lui apprendre la vie.

* La colère, à quoi ça lui sert ?

Être en colère n'est pas une mauvaise chose. C'est un sentiment qui nous donne la possibilité de réagir, de se défendre d'une attaque, qu'elle soit physique ou orale. C'est l'un des outils dont dispose l'être humain pour préserver sa liberté.

Tous les enfants affirment par la colère leurs désirs insatisfaits. Mais pour grandir et bâtir leur personnalité, ils vont devoir opérer un tri dans ces désirs. Ils apprennent ce qui est possible et ce qui ne l'est pas. Ils apprennent aussi à distinguer leurs rêves de la réalité. C'est par les règles et les interdits que vous mettez en place que s'opérera cette prise de conscience.

* Pourquoi l'aider à apprivoiser sa colère ?

Pour l'enfant, le problème n'est pas tant la colère mais plutôt la façon de l'exprimer. Les plus petits sont en effet submergés par ce sentiment et n'arrivent à l'exprimer que par leur corps (cris, pleurs, coups). Avec l'apparition du langage, quand ils sont aidés par les adultes, ils arrivent peu à peu à dire autrement certaines de leurs frustrations. Au fur et à mesure, les colères doivent se calmer. Elles ne disparaissent pas, cependant, nous le savons en tant qu'adultes… Mais ce sont les manifestations violentes de la colère qui doivent s'estomper pour permettre de vivre en société. Ce travail d'éducation de la part des parents doit commencer tôt (vers 2 ans) et il se poursuit ensuite avec de nombreuses autres périodes plus ou moins difficiles (phase d'opposition, puberté, adolescence).

Les enfants n'apprennent pas tout seul. Plus tard, ils ne se calmeront pas non plus par enchantement, mais grâce au travail d'éducation que les parents auront fait.

Quelques parents face à la colère

Les parents autoritaires. Les règles sont immuables, les punitions jamais expliquées, et les enfants ne sont pas écoutés. Cela marche avec les tout-petits, mais, en grandissant, les enfants se montreront de plus en plus rebelles. Ils peuvent même développer une « résistance » à la punition.

Les parents potes. Quand ils disent « non », ils pensent « oui ». Ils ne mettent jamais leurs menaces à exécution. Les enfants ne les croient pas et savent que quelques cris leur permettront d'obtenir tout ce qu'ils veulent.

Les parents pas d'accord. Papa dit oui, maman dit non. Comme les limites changent en fonction du parent, l'enfant n'a pas de repères fixes. Pour trouver les bornes qui lui permettront de grandir, il enchaîne colères et bêtises.

Les parents fermes. Ils sont décidés, sûr d'eux et calmes. Ils savent ce qu'ils doivent interdire pour le bien de leur enfant (actions et comportements). Ils ne menacent pas en l'air. Ils expliquent les règles et les punitions. Ils écoutent leur fils ou leur fille. Les bornes étant clairement fixées, l'enfant peut partir sur de bonnes bases à la découverte de la société.

Les débordements de la colère

Il est fréquent que la colère d'un jeune enfant se manifeste par des gestes violents, et, après l'entrée à l'école, par des gros mots. Il n'y a là rien d'anormal, mais il ne faut pas pour autant le laisser faire, sous peine de voir la situation empirer.

* Il mord

Ce qui se passe. Les bébés découvrent le monde notamment avec leur bouche. Ils portent à leurs lèvres de nombreux objets et peuvent même parfois mordre quelqu'un. Ce n'est pas la peine de dramatiser, votre enfant n'est pas un cannibale en puissance. Vers 18 mois ou 2 ans, la morsure manifeste son agressivité mais aussi une façon de découvrir, de « goûter » les autres.

Ce qu'on peut faire. S'il mord, ne le mordez pas en retour. C'est comme frapper un enfant pour qu'il arrête de taper : c'est contre-productif. Vous devez lui montrer l'exemple. Vous lui parlez avec calme et lui dites que c'est interdit. Il ne doit pas se faire mal ou faire mal aux autres. Si besoin, vous le mettez à l'écart. Le mieux serait qu'il s'excuse de son geste. Preuve qu'il a bien compris l'interdit.

* Il tape, il casse

Ce qui se passe. Quand il est en colère, le tout-petit ressent un profond désarroi et se sent impuissant. Ses accès de violence doivent être contenus. Si on le laisse aller au bout de son geste, même avec un jouet, il peut croire qu'il est aussi capable de « casser » les personnes et lui-même. Pensée pour le moins effrayante !

Ce qu'on peut faire. L'adulte doit donc avec calme et douceur lui interdire de casser ou de taper. L'interdit doit être à maintes reprises répété au cours de sa croissance : « On ne tape pas. » Votre enfant, au fur et à mesure de l'acquisition du langage, doit pouvoir expliquer pourquoi il est en colère. Après les violences physiques, il trouvera d'autres moyens pour exprimer celle-ci. Quand il frappe, il avoue son échec à régler sa frustration par le langage. Vous ne devez jamais céder devant des gestes agressifs.

Mais un enfant de plus de 7 ans doit arriver à extérioriser ses colères autrement que par la violence physique. Il marque ainsi qu'il a fait siennes les règles de la vie en société.

Mot d'ordre

On peut être en colère sans crier, pleurer ou taper.

Ni méchant ni coléreux

La violence envers les enfants comprend aussi la violence verbale, car si vous dites à un enfant, surtout à un petit, qu'il est vilain, il le croit. En jouant, il peut lui-même dire : « Je suis un monstre ! Bouh ! » Mais il n'est pas un monstre. Il est un enfant qui imite un monstre. Pour les qualificatifs de « méchant », de « coléreux », c'est la même chose. Il n'est ni méchant, ni coléreux. C'est son action ou son comportement qui sont méchants ou pleins de colère. Un enfant à qui l'on répète qu'il est méchant finira par le croire. Ce n'est pas bon pour lui. Alors qu'il essaye de se construire, son estime de soi en prend un sacré coup. De plus, s'il est méchant, comme le disent ses parents, pourquoi faire un effort ?

* Il insulte

Ce qui se passe. À moins qu'il ait un aîné adolescent, l'enfant n'apprend pas les insultes à la maison. En revanche, la cour de récréation et les copains sont une source inépuisable de gros mots. Vous n'avez pas la possibilité d'agir à l'école, mais dans le cadre familial, même lors des colères, les insultes ne doivent pas être tolérées. Votre enfant, en proférant des gros mots,

cherche à vous provoquer et à définir les limites de la vie en famille et en société.

Ce qu'on peut faire. Il doit vous respecter, c'est le minimum. Il n'est pas normal qu'un parent soit insulté par son enfant. Rappelez-lui que vous n'êtes pas son copain. Vous devez être convaincu qu'il doit vous parler correctement.

Ne laissez passer aucun dérapage verbal et ne faites pas semblant de ne pas avoir entendu. S'il chuchote une insulte, demandez-lui de répéter en le regardant droit dans les yeux et en haussant la voix si nécessaire. S'il persiste, vous devez le punir, en le mettant sans attendre à l'écart (dans sa chambre ou au coin, par exemple).
C'est vous qui décidez quand la punition est levée. Il doit avoir compris qu'il n'a plus le droit de vous insulter, le mieux étant bien sûr qu'il s'excuse.

C'est tout bon

- Aider l'enfant à se calmer.
- Garder son calme et rester ferme.
- Les deux parents sont solidaires.
- Aider l'enfant à exprimer la raison de sa colère.
- Expliquer à l'enfant que s'il ne se calme pas, il sera mis à l'écart.
- Appliquer ce que l'on a annoncé.
- Se réconcilier quand la colère est finie.

C'est tout faux

- Ne pas réagir à la colère et aux pleurs.
- Dire à l'enfant qu'il est méchant.
- Laisser l'enfant taper, casser, mordre, dire des gros mots.
- Punir sans expliquer la raison de la punition.
- Céder devant les cris et les pleurs.
- S'opposer à l'autre parent devant l'enfant.

À chaque âge sa colère et ses caprices

C'est dans la petite enfance que les colères sont le plus intenses et violentes, quand le petit garçon ou la petite fille découvre qu'il ne peut pas faire ce qu'il veut. Tout le rend furieux : son incapacité à faire telle ou telle chose, les interdits posés par papa et maman, la difficulté à imposer sa volonté... Cette étape délicate ne s'achève que quand l'enfant accepte mieux la réalité telle qu'elle est, ce qui coïncide en général avec l'entrée en primaire. Les conflits avec l'entourage se traduisent dès lors davantage par des échanges verbaux.

De 18 mois à 3 ans : il s'affirme

Plus il grandit, plus il s'affirme, plus le petit enfant est susceptible de chercher à exprimer ses contrariétés ou à affirmer sa volonté par des crises de colère. Pour les parents, c'est une période cruciale de mise en place des principaux interdits.

* Tout le monde dit : « Non ! »

Ce qui se passe. Vers 1 an et demi, votre enfant commence à murmurer ou à crier : « Non ! » Il se sert de ce mot pour faire savoir qu'il n'est pas d'accord ; c'est son

premier pas vers l'autonomie. C'est aussi la preuve qu'il sait très bien ce que « non » veut dire… Cependant, il ne comprend pas toujours pourquoi il n'a pas le droit de faire ce que font ses frères et sœurs ou ses parents, bien que ces interdits soient évidents pour un adulte : « Non ! Ne touche pas à la prise ! » ; « Non ! Donne-moi la main pour traverser ! » ; « Non ! Pose ce couteau ! »…

Ce qu'on peut faire. Vous lui fixez des limites pour le protéger. Profitez de ces moments pour lui expliquer, avec des mots simples, pourquoi vous ne voulez pas qu'il fasse ceci ou cela. Et précisez-lui que c'est pour sa propre sécurité. S'il se met en colère et devient agressif, mettez-vous à sa hauteur, captez son regard, et dites-lui que cela vous déplaît. Si nécessaire, rappelez-lui qu'il est interdit de taper. S'il recommence une action dangereuse pour lui, faites les gros yeux en disant non. Il sentira que vous ne céderez pas. S'il n'arrive pas à se calmer, n'attendez pas. Des bras ouverts et accueillants sont parfois la meilleure solution pour passer à autre chose.

* « Pourquoi dois-je obéir ? »

Ce qui se passe. Vers 2 ans, votre enfant passe par une phase plus agressive. Il s'énerve facilement et se met à vous tester régulièrement. C'est sa manière de chercher les limites. Il essaye d'imposer sa volonté et mesure votre résistance. Mais vous avez déjà une forme d'entraîne-

ment grâce aux « non ! » que vous répétez plusieurs fois par jour pour le protéger.

Désormais, il fait des choix, mais cela ne se passe pas toujours comme il le veut. Celui-ci joue, mais c'est l'heure du bain ; celle-là regarde un dessin animé, mais il faut sortir. C'est vrai que c'est frustrant.

Ce qu'on peut faire. Quand il est occupé, si on veut qu'il s'arrête maintenant, une solution est de le prévenir, pour qu'il se prépare à changer d'activité. En revanche, sa notion du temps n'est pas celle d'un adulte. Rien ne sert de lui dire « cet après-midi », « demain » ou « on va faire ceci ou cela à telle heure ». Ces précisions, comme le décompte des heures et des minutes, ont peu de signification pour lui. Mais vous pouvez le prévenir qu'à la fin du dessin animé il doit s'habiller pour sortir, ou que quand son frère rentre de l'école il doit prendre son bain. Choisissez des repères à sa portée. Et assurez-vous, en lui posant la question, qu'il a bien compris. Enfin, gardez toujours à peu près les mêmes horaires pour le bain, les repas, voire les sorties, cela lui permettra de mieux se préparer aux changements d'activité. C'est par la mise en place de rituels que vous l'aiderez.

Évidemment, ce n'est pas pour autant que les crises seront toutes évitées. Parfois, votre enfant sera tellement pris par ce qu'il fait qu'il ne supportera pas de s'arrêter.

S'il persiste et se met en colère, une punition, comme d'aller au coin ou de rester assis sur une chaise le temps de se calmer, est amplement suffisante. Quand il est apaisé, n'hésitez pas à aller vers lui pour un câlin.

* « Je veux... »

Ce qui se passe. Vers 3 ans, avec la découverte du « je » et de « vouloir », votre enfant devient un peu autoritaire. L'enjeu est de savoir si le monde se plie à sa volonté. Il cherche également les interdits. Pour savoir si ce sont de vrais interdits, il les met en question, teste leur solidité par des refus. Cela lui permet de se situer dans l'environnement familial. Fatalement, cela donne lieu à de nombreuses colères.

Ce qu'on peut faire. C'est un moment éprouvant, car il ne faut pas lâcher. Parfois, vous avez vraiment envie de baisser les bras, espérant gagner ainsi un peu de sérénité ! Mais ce n'est qu'une fausse solution. Si vous cédez, il n'est pas certain qu'il se calme. En plus, c'est déstabilisant pour lui : « Comment ? Quelque chose qui était interdit est devenu permis ? Étrange... Aurais-je un pouvoir sur mes parents par mes colères ? Essayons voir avec le prochain interdit ! »

Ce n'est pas parce que vous êtes ferme, que vous lui expliquez clairement le pourquoi d'un interdit et que vous

l'aidez à maîtriser sa colère, qu'il ne va pas recommencer. Ce n'est pas pour vous faire enrager qu'il fait cela. Votre enfant met simplement du temps à comprendre cet interdit et sa solidité. Et c'est seulement par la répétition qu'il y parviendra.

Faire les choses à moitié

Ce qui se passe. Votre enfant, entre 2 et 4 ans, veut effectuer de nombreuses choses tout seul : s'habiller, se laver, mettre la table… Ce n'est pas toujours le moment pour vous. Par exemple, vous êtes pressé et il s'y reprend à cinq fois pour enfiler son manteau. Le risque de conflit pointe son nez, avec une colère ou des larmes à la clé.

Ce qu'on peut faire. Vous pouvez lui dire, quand il affirme qu'il va s'habiller seul : « Tu mets tes chaussettes et ton tee-shirt, et je t'aide pour le reste. » C'est l'occasion pour lui de progresser. En revanche, ne vous attendez pas à ce qu'il fasse les choses avec votre degré d'exigence. Il est en pleine phase d'apprentissage. Ses échecs sont aussi formateurs que ses réussites s'ils sont bien vécus par tout le monde.

De 4 à 6 ans : il a besoin d'explications

Avec la maîtrise du langage et l'apprentissage de la vie sociale à l'école, les colères, désormais, se font souvent moins violentes. Mais l'enfant a davantage besoin que ses parents lui expliquent le pourquoi des règles.

* Accalmie familiale

Ce qui se passe. Vers 4 ou 5 ans, votre enfant obéit plus facilement sans rechigner. Il manifeste également de plus en plus ses colères par la parole. À partir de 5 ans, ses cris et ses pleurs sont ainsi moins intenses et moins fréquents. Les règles en place dans la maison lui indiquent clairement la place de chacun dans la famille. Il n'est plus tout-puissant, et ses parents l'aiment et le protègent. Les colères et les pleurs ne sont pas pour autant finis. Ils peuvent réapparaître, notamment quand il s'oppose à vous sur les interdits mis en place.

Ce qu'on peut faire. Pour que votre enfant assimile bien ces règles et vive au mieux les punitions, vous devez toujours le prévenir des conséquences de ses actes. Et surtout, vous devez faire ce que vous dites. Quand vous le menacez d'une punition, vous devez l'appliquer sans attendre. C'est votre crédibilité qui est en jeu. Sinon, vous risquez d'avoir de moins en moins d'autorité sur lui au fur et à mesure qu'il grandit.

Vous l'avez prévenu, alors ne vous énervez pas, n'élevez pas la voix et ne faites pas de gestes brusques. Si votre petit est très énervé, mettez-le à l'écart quelques instants, cela lui permettra de reprendre le contrôle et de réfléchir à son acte. Si une punition est nécessaire, profitez de son calme pour la lui expliquer. S'il comprend bien la raison de la sanction, il pourra davantage anticiper les conséquences de telle ou telle attitude. Il réfléchira et assimilera mieux les règles pour vivre agréablement en société.

* Découverte du monde extérieur

Ce qui se passe. Votre enfant se tourne peu à peu vers l'extérieur. Ses centres d'intérêt ne sont plus limités à son cercle familial. Il est de plus en plus curieux et intéressé par les autres. Son côté un peu égocentrique s'estompe. Et pour cause, l'école l'aide à devenir plus sociable. Il y a les copains, le maître ou la maîtresse, une vie en dehors de la maison et plein de nouvelles choses à découvrir. Ses progrès sont constants. Il maîtrise de plus en plus de mots et il est passionné par la discussion. Son opposition va moins s'affirmer par la violence de ses cris que par une volonté balbutiante de négociation.

Ce qu'on peut faire. C'est une étape importante pour qu'il apprenne à gérer sa colère. Il va essayer de vous faire changer d'avis. Certaines de vos interdictions peuvent d'ailleurs évoluer. Votre enfant comprendra ces

modifications des règles si vous les lui expliquez. En revanche, son avis doit rester consultatif. Vous lui laissez un espace de parole et de discussion, mais c'est vous qui décidez. Expliquez-lui toujours pourquoi vous n'êtes pas d'accord, mais n'oubliez pas : c'est vous qui avez le dernier mot. D'ailleurs, à cet âge, votre enfant ne cherche pas nécessairement à imposer sa volonté, il a surtout besoin de vérifier qu'il est entendu et qu'il peut participer à la discussion.

Une règle qui s'adapte

Ne multipliez pas les règles. Pour qu'elles soient efficaces et comprises, elles doivent être limitées en nombre. Réfléchissez à ce qui est vraiment important pour la sécurité de l'enfant et pour la tranquillité de la vie familiale. Ne perdez pas de vue votre but. Par exemple, vous voulez qu'il dorme dans sa chambre. Ne vous énervez pas parce qu'il dort sur la moquette : après 2 ou 3 jours, il rejoindra tout seul son lit douillet.
La limite donnée par les interdits peut bouger. Vous vous en rendez bien compte quand vous avez des enfants de différents âges à la maison. Ils ne sont pas égaux. Ils n'ont pas les mêmes droits ni les mêmes devoirs. Les plus petits peuvent se sentir lésés, mais une explication simple leur permet de comprendre qu'ils pourront faire certaines choses aujourd'hui interdites quand ils seront plus grands.

* Le début de la « période de latence »

Ce qui se passe. Vers 6 ans, commence ce que l'on appelle la « période de latence ». Les changements les plus visibles sont un caractère moins impulsif et une ouverture sur le monde, au-delà du cercle familial. Par rapport à la période passée, votre enfant paraît beaucoup plus calme. Il se tourne vers des activités plus intellectuelles et cherche sa place dans le monde après avoir trouvé sa place dans sa famille.

Mais il va y avoir parfois des retours en arrière. Sa vie à l'école peut en être la source. Il peut avoir du mal à apprendre ; il se peut aussi que les rapports avec ses camarades soient tendus... Ces contrariétés sont normales. Il est possible aussi qu'elles le fassent un peu régresser temporairement : difficulté à aller se coucher, comportement agité à la maison...

Ce qu'on peut faire. L'important est que vous arriviez à lui faire exprimer son malaise. En parlant de ses ennuis, votre enfant surmontera plus facilement la difficulté et pourra repartir vers de « nouvelles aventures ». Mais l'écoute au sein de la famille ne signifie pas la remise en question des règles de la maison. C'est en réaffirmant les interdits familiaux, avec amour et constance, que vous l'aiderez, à partir de ce socle solide, à dépasser la frustration qui le freine sur le moment, mais le construit sur le long terme.

De 7 à 10 ans : il argumente

Plus raisonnable et réfléchi, l'enfant débat et argumente. Il veut aussi être considéré comme un « grand ». Il n'en a pas moins toujours besoin de règles, même si elles peuvent être énoncées autrement pour limiter les conflits.

* L'âge de raison

Ce qui se passe. Vers 6 ans, votre enfant entre en primaire. Il paraît grand sur de nombreux points. C'est encore plus flagrant vers 7 ou 8 ans avec les changements physiques. Mais les transformations sont également mentales. Il aime raisonner et débattre, et il accepte beaucoup mieux que chacun ait son propre avis. Cette accalmie générale cache de nouveaux aspects de son caractère. Il est parfois impatient et susceptible, ce qui peut être à l'origine d'affrontements, de colères.

Son impatience, vous la constatez au jour le jour, voire de minutes en minutes. Il saute d'une activité à une autre, se passionne pour les grandes causes, mais toujours en recherchant votre avis ou simplement votre regard, votre intérêt. Il peut également s'emporter d'un coup, notamment avec ses frères et sœurs. Veillez à ce que cela ne dépasse pas les limites que vous avez fixées, en particulier concernant les gros mots. Il doit apprendre à réfléchir avant d'agir. D'ailleurs, il admet s'être trompé plus

facilement qu'avant. Et il explique plus aisément ses choix et ses réactions.

Sa susceptibilité est également évidente. Il prend mal tout ce qui ressemble à un ordre et se fâche dès que quelqu'un pointe un de ses défauts ou se moque même gentiment de lui.

Ce qu'on peut faire. Pour vous, le changement par rapport aux interdits peut consister simplement à les formuler autrement, pour éviter le conflit. Incitez-le à faire ce que vous voulez, plutôt que de le lui ordonner. Profitez de ses réussites et de ses initiatives pour lui dire que vous êtes fier de lui.

* L'autonomie dans certaines limites

Ce qui se passe. Du fait de ses nouvelles capacités, votre enfant fait plus d'activités avec vous et partage vos passions : sport, bricolage, lecture, sorties… Il participe plus volontiers aux conversations, même sur des sujets graves. Vous êtes ainsi parfois tenté de le voir plus grand qu'il ne l'est en réalité.

Les rituels qui permettaient de structurer les limites ne sont pas à abandonner d'emblée. Ils vont juste rentrer dans une nouvelle phase. Votre enfant va peu à peu se les approprier, les vivre à sa manière. Par exemple, avant

de s'endormir, il ne va plus vouloir une histoire lue par un parent, mais un moment de lecture seul dans son lit ; il ira ensuite une dernière fois aux toilettes et il éteindra sa lumière. La règle évolue, vous contrôlez toujours les bornes principales, mais dans cet espace votre enfant s'organise à sa façon.

Mot d'ordre

Être ferme pour construire le futur.

Son autonomie se manifeste particulièrement par la parole. Il argumente plus facilement, revendique et critique.

Ce qu'on peut faire. C'est un premier aperçu de l'adolescence, mais seulement un aperçu. Il n'est encore qu'un enfant qui a besoin de limites claires et précises. Ses talents de négociateur vont apparaître en particulier pour tout ce qui a trait aux achats.

N'oubliez pas qu'à la fin c'est vous qui décidez. Vous pouvez, par exemple, le laissez choisir entre différents modèles d'un objet. Le mieux étant pour les gros achats de lui laisser un peu de temps. Parfois, l'objet si indispensable dont il ne pouvait se passer sera remplacé par un autre quelques jours plus tard.

* Prêt pour de nouveaux défis !

Ce qui se passe. Toute la difficulté entre 7 et 10 ans est de laisser du champ libre à l'enfant, tout en continuant à le guider. Il est plus sage et plus grand, mais ce n'est encore qu'un enfant. Même si c'est moins flagrant, il va essayer à certains moments de s'imposer.

Ce ne sera pas aussi frontal qu'à l'époque du « non », mais ce sera tout aussi efficace s'il ne rencontre pas d'opposition de votre part. Il est normal que votre enfant mette en place des stratégies pour imposer sa volonté.

Ce qu'on peut faire. Et il est tout aussi normal que vous le contriez et fassiez respecter les règles et les interdits de la maison. Par ailleurs, vous lui apprenez aussi le respect des autres pour qu'il puisse plus facilement vivre les deux prochaines étapes de son développement : la puberté et l'adolescence.

Pour être convaincant, soyez convaincu

- Votre enfant vous connaît très bien, il sait quand vous n'êtes pas sûr de vous. Vous ne pourrez lui imposer une règle que si vous êtes convaincu de son bien-fondé. Avant de vous précipiter dans l'application des interdits, prenez le temps de bien réfléchir aux limites que vous allez lui donner. Le cadre général est toujours le même : avoir une vie normale à la maison, sans cris, pleurs et claquements de portes ; aider votre enfant à grandir pour qu'il puisse trouver sa place dans la société.

- Quand vous serez passé de la culpabilité à l'assurance, votre voix, votre regard et votre demande auront une tout autre force. Et lui sentira que vous savez ce que vous voulez et que vous ne céderez pas.

C'est tout bon

- Chaque âge à ses interdits.
- L'évolution des interdits est décidée par les parents, pas par l'enfant.
- Expliquer à l'enfant les règles avec des mots qu'il comprend.
- Appliquer sans attendre les punitions qui ont été annoncées.
- La négociation se fait uniquement dans des limites fixées par les parents.
- Les parents ont le dernier mot.
- Favoriser l'autonomie progressive de l'enfant.

C'est tout faux

- Culpabiliser devant les pleurs.
- Ne pas être convaincu par ce que l'on dit.
- Crier plus fort que l'enfant, avoir des gestes brusques.
- Punir sans avoir mis en garde l'enfant avant.

Gérer la crise

Le moment tant redouté est arrivé. Votre enfant est en colère. Il est temps de mettre en pratique une méthode simple pour revenir au calme. Sans le brusquer, sans vous énerver, voici, étape par étape, les moyens de passer de la colère à l'apaisement.

Faire face à la crise

Dès les premiers signes de colère, suivez à la lettre mes conseils pour que tout rentre dans l'ordre rapidement.

* Prendre les devants

Vos enfants savent très bien sur quel bouton appuyer pour vous faire tourner en bourrique. Mais vous les connaissez aussi très bien. N'importe qui se laisserait prendre à leurs pleurs, sans distinguer si c'est un caprice ou un vrai chagrin. Vous, vous savez ce qu'il en est ! Vous décelez, au son de la voix, par l'attitude corporelle, les détails qui vous permettent de faire la part des choses. Par exemple, dans de nombreuses situations, vous savez détecter les signes avant-coureurs de sa colère. Pourquoi attendre qu'elle éclate ? Il va bientôt s'énerver. Prenez-le par surprise !
Pour les tout-petits, proposez une autre activité pour les détourner de leurs idées noires ou de leur échec. Pour les

plus grands, vous pouvez simplement demander ce qui ne va pas, sans avoir l'air inquiet. Exprimer le problème à voix haute peut éviter la montée des cris. Si la colère est en rapport avec de nouvelles règles dans la maison, saisissez l'occasion pour expliquer de nouveau à votre enfant les raisons de ces changements.

* D'abord, on se calme

La crise a éclaté. La colère est là. La première chose est de retrouver son calme. On peut être contrarié, frustré, en colère contre quelque chose ou quelqu'un, mais ce n'est pas pour autant que l'on se roule par terre ou que l'on crie à en perdre son souffle. Vous devez tout de suite intervenir. Ne laissez jamais une crise submerger totalement votre enfant, ni devenir « rentable » pour lui.
Restez calme, ne commencez pas à crier pour vous faire entendre. L'inverse est même plus productif : parlez doucement, sans vous précipiter, en employant des phrases courtes. Le ton de votre voix et un discours clair lui montreront que vous êtes déterminé, et que sa colère a peu d'effet sur vous. Pour que vous soyez bien compris, votre enfant doit vous regarder, car on n'écoute pas seulement avec ses oreilles. S'il est petit, mettez-vous à sa hauteur.
S'il n'arrive pas à s'arrêter, dites-lui, toujours d'une voix tranquille, qu'il doit d'abord se calmer. À cette fin, il va, par exemple, aller s'asseoir sur une chaise, attendre au coin, ou dans sa chambre. S'il refuse, emmenez-le fermement,

mais sans violence. Il ne descend pas tout seul de sa chaise ou ne sort pas de sa chambre quand il le veut. C'est vous qui jugez quand il est enfin calme. Cela ne sert à rien de continuer à discuter tant qu'il est énervé. Il n'est manifestement pas encore en mesure d'écouter qui que ce soit.

* Tenir bon

Vous êtes à un moment critique de la crise. Vous ne devez sous aucun prétexte céder aux demandes ou aux cris de votre enfant tant qu'il ne s'est pas apaisé. Inutile de lui expliquer à nouveau qu'il doit se calmer.
Reprenez l'activité que vous étiez en train de mener avant la colère. Ainsi, vous marquez que les cris et les pleurs n'ont pas d'influence sur le cours normal de la vie. C'est vous qui décidez quand vous irez le chercher. Ne culpabilisez pas parce qu'il pleure. Vous êtes en train de l'aider à grandir. Il ne pourra pas faire face aux aléas de la vie en se roulant par terre. Si vous cédez à ce moment-là, tout sera à recommencer. Courage ! Caprices et colères ne doivent pas vous faire peur.
Dès que votre enfant aura saisi que vous ne céderez pas, les crises s'espaceront. Si vous sentez que vous commencez à vous énerver, votre conjoint peut vous épauler. Il est essentiel que l'enfant constate que ses parents sont d'accord. En revanche, la punition ne doit être levée que par le parent qui l'a donnée.

La fessée, une fausse solution

La fessée est la manifestation d'un échec. Elle ne sert qu'à passer ses nerfs et ne résout aucun conflit avec l'enfant. Le seul résultat, c'est qu'il n'a plus le contrôle de son corps et subit la loi du plus fort. Quant à l'interdit que vous souhaitiez lui faire comprendre, il a disparu derrière la violence. Si vous sentez monter « l'envie » de lui donner une fessée, emmenez-le dans une autre pièce. Cela vous donnera à tous deux le temps de vous calmer. Après, vous pourrez lui expliquer simplement et avec conviction la règle à respecter. Elle sera assortie d'une punition, si nécessaire, mais jamais corporelle.

Que faire après la crise

Quelques conseils pour lui apprendre à comprendre et à exprimer sa colère.

* Et si on en parlait ?

Les sanglots sont finis, la colère est passée. Profitez de cette accalmie pour revenir sur ce qui s'est passé. L'enfant doit comprendre qu'il a d'autres moyens pour s'exprimer. Il peut en parler avec vous. Au lieu de se mettre à

crier, quand il sent qu'il est en colère, il peut venir vous le dire, et vous cherchez alors ensemble les raisons de ce sentiment et les solutions.

Il doit également savoir pourquoi vous l'avez puni. Le plus simple est de lui en demander directement la raison. Vous serez parfois étonné qu'il la comprenne parfaitement. Mais cela ne l'empêche pas toujours de recommencer un peu plus tard. Il cherche à tester la solidité et la valeur de l'interdit ou de la règle. Quand il verra que la colère n'est pas un moyen efficace pour parvenir à ses fins, et que l'interdit ne bouge pas, il pourra passer à autre chose. Quand il accepte une règle, un interdit, il ne baisse pas les bras, il ne perd pas non plus une bataille. Il repart seulement rassuré par des bornes qu'il recherche, même si son attitude laisse croire le contraire.

Mot d'ordre

Je n'ai pas peur de la colère.

Si l'enfant n'a pas compris certains interdits, réexpliquez-lui la raison d'être de cette règle. Attention, si l'écoute est réciproque et la discussion ouverte, ce n'est pas pour autant une négociation. Les règles que vous avez mises en place ont été mûrement réfléchies. Elles permettent une vie plus facile pour tous dans la maison.

Pour vous assurer que tout est bien clair, vous pouvez lui demander de vous expliquer les règles avec ses propres mots. Les plus petits en seront bien sûr incapables. Assurez-vous juste qu'il ou elle a bien saisi l'interdit ou la règle. Un simple « oui » ou « pas taper » suffit, au début.

* L'idéal, c'est la réconciliation

L'enfant s'est calmé. Il a su, grâce à votre aide, faire face à sa colère. Il a aussi un peu mieux compris que l'on pouvait être en colère, mais que l'on devait l'exprimer autrement que par des cris. Cela l'aidera pour la prochaine fois.

La chaise de réflexion

Vers 2 à 4 ans, il peut être difficile et fatigant pour un enfant de rester debout au coin. La « chaise de réflexion » permet de le mettre à l'écart sans l'envoyer dans sa chambre. Vous installez une chaise à quelques mètres et vous faites asseoir l'enfant. Vous lui expliquez qu'il restera assis le temps qu'il retrouve son calme. Dites-lui également de réfléchir à sa colère, vous en discuterez dans quelques minutes. Si l'enfant quitte la chaise, ramenez-le fermement, sans le brusquer. Répétez les consignes et retournez à votre activité en cours.

Au fur et à mesure de ses progrès pour gérer ses colères, utilisez le compliment. Il a su faire face à une contrariété en parole et non avec les poings, dites-lui que vous êtes fier de lui ; il a assimilé une nouvelle règle de vie, comme prendre son bain sans bataille, dites-lui que c'est bien, par exemple.

Mais avant d'en arriver là, il faut tout d'abord clore l'épisode en cours. Et quoi de mieux qu'un câlin, s'il le désire. Que ce soit par des gestes ou par la simple parole, voire les deux, vous lui réaffirmez votre amour. Vous êtes ferme et vous l'aimez. Vous renforcez ainsi le sentiment que, quoi qu'il se passe, il pourra toujours compter sur vous. Fort de cette « base arrière », il peut partir plus sereinement à la découverte du monde.

C'est tout bon

- Désamorcer les crises avant qu'elles n'éclatent, si c'est possible.
- Expliquer et réexpliquer la raison des règles et des interdits.
- Regarder l'enfant droit dans les yeux et lui parler doucement.
- Revenir au calme, si besoin mettre l'enfant à l'écart le temps nécessaire.
- Les parents disent quand l'enfant est calmé, pas l'enfant lui-même.
- La vie de la famille continue normalement malgré la colère.
- Les parents sont d'accord et se soutiennent.

C'est tout faux

- Être inquiet face à la colère.
- Culpabiliser face aux pleurs.
- Céder face aux caprices.
- Perdre son calme et crier.
- User de violences corporelles ou verbales.

Des parents fermes et zen

Que ce soit avec les « grands » ou les tout-petits, il n'est parfois plus possible de savoir où on en est. On gère tout dans l'urgence, sans avoir le temps de réfléchir ou simplement de se ressourcer un peu. La place de chacun dans la famille n'est plus bien définie, et l'on finit par ne plus savoir comment réagir. Ce chapitre vous propose de revenir aux bases.

Réaménager sa disponibilité

Depuis que vous avez vos enfants, vous avez tous les deux tendance à vous oublier un peu, sans que cela leur soit bénéfique. Il faut redéfinir vos priorités ; suivez le guide !

* Les parents, un couple-témoin

Vous aviez une vie de couple avant vos enfants. Vous devez en avoir une maintenant qu'ils sont là. Ce n'est pas contradictoire. Ils n'ont pas à se mêler des relations entre leurs parents.

Leur ingérence dans votre couple s'est parfois manifestée sans que vous y preniez garde. Il s'est installé entre vous alors que vous regardiez un film sur le canapé. Elle a appelé son papa pour jouer quand il faisait un bisou à maman. Maintenant, vous hésitez à manifester votre

tendresse l'un envers l'autre parce qu'un concert de « beurk ! » sort des bouches de vos petits.

Chaque couple a sa manière de s'envoyer des messages d'amour. Donner la possibilité à l'enfant d'interférer dans cet échange est l'investir d'un pouvoir bien trop lourd pour ses épaules. Entre 3 et 5 ans, en pleine phase œdipienne, quand il veut prendre la place de papa ou de maman, sentir qu'il ne peut pas séparer ses parents le rassurera. Même s'il ne manifeste pas sa reconnaissance sur l'instant, vous êtes en train de l'aider à passer un cap.

* Faire front ensemble

Que deux parents ne soient pas d'accord tout le temps est tout à fait normal. Mais ces désaccords ne regardent que les adultes. Si la maman gronde l'enfant et que le papa ricane dans son coin, la mère perd sa crédibilité.
La solution est d'en parler entre parents. Quels comportements n'acceptez-vous pas ? Comment allez-vous réagir ? Quelles sont les nouvelles règles à mettre en place pour aider votre enfant ?

Vous avez des avis différents. Vous allez peut-être vous affronter sur certains points, mais vous allez trouver un compromis. C'est le moment d'en discuter. Vous en tirerez une attitude claire et simple que vous pourrez plus facile-

ment mettre en pratique. Ce débat vous permettra aussi d'étayer votre confiance en vous. Vous savez maintenant réellement ce que vous voulez et où vous allez.
Faites attention aux petites oreilles qui traînent, surtout chez les « grands ». Les enfants sont très intéressés par les discussions les concernant. Vous parlez de leur éducation et des changements à venir dans la maison, mais c'est votre cuisine secrète.

Vous ressortirez de ce type d'échange avec une confiance l'un en l'autre renforcée. Si votre conjoint est d'accord avec vous, vous savez que vous pourrez compter sur lui en cas de conflit avec votre enfant.

* Du temps pour soi

Pris dans le tourbillon de la vie, vous travaillez, assurez l'éducation de vos enfants, organisez les activités des uns et des autres… Courir, toujours courir, et, au final, on n'a pas un instant pour soi. La tension et l'énervement montent, montent. Stop ! Il est temps de vous occuper de vous. Personne n'a en lui des réserves d'énergie illimitées. Vous avez besoin de vous ressourcer en profitant d'un moment rien qu'à vous.

La première chose à régler, c'est de créer du temps. Votre conjoint peut s'occuper des enfants cet après-midi et les emmener jouer dehors. La maison est à vous. Attention,

hors de question de saisir l'aspirateur ou le fer à repasser. Prenez un bon livre, faites un peu de jardinage, allez au hammam, sortez au cinéma ou restez simplement les doigts de pied en éventail. Le seul mot d'ordre est de vous faire plaisir.

La mise en place d'un tel moment variera en fonction de votre emploi du temps. Il peut aussi s'aménager à l'heure du déjeuner en semaine, ou par un échange de garde des enfants avec une bonne copine…

La première fois, vous aurez peut-être un peu de mal à ne vous occuper que de vous. « Je ne sais pas quoi faire. » L'arrêt de cette agitation sans fin peut laisser plus d'une personne surprise, un peu tétanisée. Ne lâchez pas pour autant. Vous allez trouver un moyen de remplir agréablement ce nouvel espace.

* Du temps pour les enfants

Parallèlement, prenez le temps de passer des moments avec vos enfants hors des astreintes de l'éducation et de la vie de tous les jours. Prendre le temps de jouer ensemble, se promener main dans la main, aller faire les magasins… l'idée est de passer un moment à deux. Un moment où l'enfant a son papa ou sa maman pour lui tout seul. Un moment où le parent a l'enfant pour lui tout seul. Ça marche dans les deux sens !

Ce type d'échange privilégié donne la possibilité à certains papas de réinvestir leur rôle de père. Ils vont pouvoir transmettre un savoir, découvrir une passion chez leur enfant. C'est l'occasion de renforcer vos liens. À la condition que vous jouiez le jeu. Vous devez mettre entre parenthèses le reste de la vie, et vivre cet instant pleinement. Si vous avez promis d'aller au zoo avec lui, pas question de rester deux heures au téléphone avec votre meilleur ami, vous le rappellerez plus tard.

Changer pour les faire changer

Les colères non contrôlées qui empoisonnent la vie familiale sont souvent dues à des comportements qui demandent à être modifiés.

* Je ne suis pas son copain

Être le copain de ses enfants est faussement rassurant pour eux et pour vous. Des amis, ils en ont déjà. Par contre, comme parents, ils n'ont que vous. Vous êtes les seules personnes qui consacreront autant de temps et d'énergie à leur donner toutes les clés pour bien démarrer dans la vie. C'est votre rôle d'éducateur, de parent. Et pour mener à bien cette tâche, vous ne pouvez pas être un copain, vous devez incarner l'autorité. Car on n'obéit pas à un copain.

Chacun a sa place : votre enfant n'a pas à se mêler de votre vie d'adulte ni à choisir à votre place. L'organisation de la vie à la maison est votre domaine : menu des repas, hygiène, heures de lever et de coucher, quand on reçoit des invités...

Le langage est aussi essentiel. Vous ne devez pas accepter que votre enfant vous parle comme à un pote. Il ne doit pas non plus vous couper la parole, mais attendre son tour pour s'exprimer. Assimiler ce qui peut ressembler à des contraintes est indispensable pour s'intégrer facilement dans le monde extérieur. La leçon sera moins pénible à accepter si elle vient d'une personne aimée que d'un inconnu.

* Je reste calme

Pour être entendu, vous devez rester calme. Si vous criez pour couvrir leurs hurlements, si vous leur courez après pour les emmener dans la salle de bains, vous n'êtes pas crédible. Les petits enfants peuvent même prendre votre attitude comme un jeu.

Avant d'agir, respirez profondément. Concentrez-vous sur le but à atteindre : l'enfant doit se calmer. Rappelez-vous pourquoi vous lui demandez de se calmer. Il est impossible de vivre dans les cris et les pleurs. Apprendre à contrôler ses colères le fait grandir. Vous êtes son parent,

vous devez l'aider. C'est en étant vous-même convaincu que vous enverrez un signal ferme et serein. Vous n'entrez pas dans le jeu de l'énervement et vous gérez la colère pour ce qu'elle est : une simple colère d'enfant.
Cependant, ne vous cachez pas quand vous êtes vraiment en colère. L'être alors que les enfants sont présents n'est pas une mauvaise chose. Bien au contraire. Vous leur montrez que l'on peut se mettre en colère, l'évacuer et être entendu en toute sécurité.

* Je fais ce que je dis

« Si tu continues, je t'abandonne ici ! » ; « Arrête, ou tu vas avoir une fessée ! » Ne menacez pas votre enfant de ce que vous ne pouvez ou ne voulez pas faire. Vous vous décrédibilisez à ses yeux. Comment peut-il vous prendre au sérieux si ce que vous annoncez n'arrive jamais ?

Qu'il s'agisse d'un avertissement, d'un interdit ou d'une menace, faites ce que vous dites. Pour cela, les punitions ou les ultimatums doivent être réalistes. Quand votre enfant se roule par terre dans la rue, vous n'allez pas le laisser et partir pour ne plus jamais le revoir. Il est donc inutile de proférer une telle menace. Dans un premier temps, c'est traumatisant pour lui. Ensuite, cela entame sa confiance en vous. Cependant, tout ce qui est réalisable (« Tu es privé de dessin animé » ; « Si tu continues à crier, tu sors de table »...), vous devez l'exécuter sans attendre.

Les vertus de la frustration

La frustration est stimulante. Elle incite l'enfant à se dépasser pour atteindre l'autonomie. Il est obligé de développer son intelligence et son imagination pour atteindre ses objectifs. Peu à peu, il dissocie dans la masse confuse de ses désirs ceux qu'il peut réaliser. Tout n'est pas exaucé, mais ce qui l'est devient d'autant plus agréable. L'enfant grandit autant par ce qui lui est autorisé que par ce qui lui est inaccessible. Il construit sa personnalité et trouve sa place dans la famille et dans la société. Si, petit, il n'a ni règles ni interdits auxquels se référer, en grandissant, il sera désarmé face au monde réel.

* Je sais dire non

Vous n'avez aucun problème pour lancer un « non! » convaincu s'il se met en danger. L'interdit fuse s'il lâche votre main et s'avance vers la rue. C'est instinctif. En revanche, votre « non » semble moins bien fonctionner quand vous lui demandez de se calmer ou que cela concerne son comportement envers les autres.

L'origine de ce manque de confiance est peut-être là : vous n'êtes pas convaincu par ce que vous dites.

Réfléchissez à ce que vous lui demandez. Ne pas se rouler par terre, ne pas taper quand il est en colère, être poli, se laver, dormir dans sa chambre, etc., tout cela a un sens, et c'est pour son bien. C'est aussi important que sa sécurité.

Mot d'ordre

Être ferme, ce n'est pas être sans amour.

Dès que vous serez persuadé que ce que vous lui demandez est normal, votre « non » deviendra solide comme un roc. Vous devez vous opposer à lui sans culpabilité et être sûr de vous. Sinon, il ne croira pas que vous dites vraiment non.

C'est tout bon

- Avoir un moment à soi chaque semaine pour se ressourcer.
- Faire des activités seul avec l'enfant.
- Établir les règles de la maison avec l'autre parent.
- Les deux parents sont d'accords sur les interdits.
- Soutenir son conjoint lors des crises.
- Faire ce que l'on dit.
- Être convaincu de ce que l'on demande à l'enfant.

C'est tout faux

- Laisser l'enfant décider à la place des parents.
- Ne pas réagir aux écarts de conduites et de paroles.
- Perdre son calme.
- Ne pas tenir ses promesses de sortie ou d'activité avec l'enfant.

Les colères des tout-petits

L'enfant vers l'âge de 3 ans est en train de découvrir de multiples sources de frustration. Ses aînés ont le droit de faire des choses qui lui sont interdites. Ses parents ont des relations et des secrets qui ne le concernent pas. Il voudrait que toute l'attention soit polarisée sur lui, et ce n'est pas le cas. Tout cela le heurte, le chagrine et est source de colères. Il a besoin que vous l'aidiez à trouver sa place dans la famille, avec douceur et fermeté.

Ce qui se passe

Trois attitudes emblématiques liées à la découverte de la frustration vers 2 ou 3 ans.

* « Regardez-moi ! »

Dès que l'attention des parents va à un autre enfant de la famille, le petit dernier se met en colère. À table, quand personne ne lui parle durant quelques minutes, il se met encore en colère et finit par sangloter, l'air triste. Quand papa et maman se regardent amoureusement, il jette son jouet le plus loin possible avant de devenir tout rouge. Et si ses aînés jouent ensemble, il ne le supporte pas non plus et va casser leurs jouets.
Vers 2 ou 3 ans, l'enfant croit qu'il peut tout contrôler, et

en particulier sa famille. En n'arrivant pas à capter l'attention de ses proches à chaque fois qu'il le veut, il fait l'expérience de la réalité : il ne dirige pas le monde. De plus, il commence à saisir que des échanges particuliers ont lieu entre ses parents. Il s'en sent exclu, et cela provoque du désespoir et des colères. Quant à la jalousie qu'il manifeste vis-à-vis de ses frères et sœurs, elle indique qu'il cherche maladroitement à trouver sa place dans la fratrie et la famille.

* « Je veux tout le temps être avec maman ! »

Du réveil au coucher, il est impossible pour votre enfant de vous perdre de vue. Un petit tour aux toilettes et le voilà faisant le siège de la porte avec force cris et pleurs. Dès que vous réapparaissez, comme par enchantement, ses larmes s'arrêtent. Même quand il se met à jouer, ou s'est trouvé une occupation, s'il se rend compte que vous avez quitté la pièce, il vous cherche. Et s'il ne vous trouve pas rapidement, c'est la crise. De toute façon, il est inconsolable si vous n'êtes pas là.

Votre enfant n'arrive pas à être séparé de vous et cela devient impossible à gérer. Il a grandi, mais il ne veut pas le reconnaître. Peut-être que vous non plus ? Ce n'est plus un bébé, mais un petit garçon ou une petite fille. Pour acquérir son autonomie, il va avoir besoin de votre aide. Le complexe d'Œdipe ne simplifie pas les choses.

Quoi de mieux que d'être tout le temps avec le parent que l'on « aime ». En plus, il a parfaitement saisi que vous n'étiez pas bien quand vous deviez vous opposer à lui. Ne culpabilisez plus ! Faites-vous aider par votre meilleur allié : votre conjoint.

* « Papa pas gentil ! »

Si papa fait mine de vouloir l'habiller, lui faire prendre son bain ou simplement jouer, c'est l'affrontement. Les « Tu m'as fait mal ! », « Pas gentil ! » et autres gracieusetés sont lancés. Même un petit câlin relève du défi. Il n'y a que maman qui sache faire. « Heureusement », elle n'est jamais très loin pour pallier les prétendues maladresses de son conjoint. Elle reprend les choses en main, et papa s'en va penaud, l'air un peu chagrin.

Pour de multiples raisons, les papas sont parfois un peu en retrait dans l'éducation des petits enfants. Les horaires de travail qui les font arriver après le coucher, le manque de pratique qui les fait hésiter à participer aux tâches quotidiennes (le bain, par exemple). Quant à la maman, elle a aussi de temps à autre du mal à laisser un peu de sa place auprès de l'enfant. De plus, la phase œdipienne du petit garçon n'arrange rien. Les petites phrases telles que « Je t'aime pas ! » peuvent être très mal vécues par le père et le conforter dans une position de repli.

Ce qu'on peut faire

* Chacun a une place dans la famille

Il est hors de question de céder aux exigences de votre enfant. Si vous vous arrêtez de parler à table parce qu'il « chouine », si vous le laissez déranger son frère lorsque ce dernier est occupé, vous lui laissez croire qu'il peut plier la réalité à sa volonté. Ce serait lui mentir et l'angoisser. Il faut donc s'opposer à lui tout en le rassurant : « Papa et maman finissent de parler, ils t'écouteront après » ; « Ton frère fait ses devoirs, il jouera un peu avec toi plus tard. » En parallèle, vous pouvez l'aider à se sentir moins exclu du monde des plus grands. Montrez un intérêt sincère pour ses réalisations (ses dessins, les histoires qu'il raconte, par exemple). Passez un moment dans la journée rien qu'avec lui. Et trouvez-lui un rôle accessible parmi les activités quotidiennes de la maison (mettre les serviettes à table, par exemple). Ces attentions lui permettront de trouver sa place.

Ne rêvez pas ! Il ne va pas assimiler ces nouvelles règles d'un coup de baguette magique. Vous venez d'entrer dans une période d'apprentissage. Votre enfant va résister, refuser et vous tester. Il va falloir répéter, expliquer et tenir bon.

* La maman doit passer le relais

Il est tout à fait normal que, à partir de 18 mois, avec l'acquisition de la marche, votre enfant alterne les périodes de découverte du monde et celles de repli vers sa mère. Il vient se rassurer sur votre amour pour repartir serein à la conquête du monde. Ce mouvement de balancier dure de nombreux mois. Cependant, il ne faut pas confondre cette forme de peur de la séparation avec un esclavage de la mère. Vous n'appartenez pas à votre enfant !
Vous êtes là pour l'aider à évoluer en lui réaffirmant votre amour. Mais vous ne devez pas céder à ce qui ressemble à de la tyrannie en répondant à toutes ses demandes. C'est d'autant plus difficile que vous avez parfois du mal à voir qu'il grandit si vite. Si votre conjoint est présent, laissez-le donc vous aider et prendre en charge certains moments critiques, comme le coucher. Cela se fera au début dans les cris et les larmes. Mais, peu à peu, les choses rentreront dans l'ordre si vous restez tous deux fermes avec amour.

Enfin, faites attention à votre intimité. Votre enfant va essayer de s'imposer dans votre couple. Cela peut passer par exemple par de petites phrases, comme « On est bien tous les deux, quand papa n'est pas là », ou par des gestes, comme écarter son père quand il s'approche de vous. Dans ces cas-là, ne le laissez pas faire ou dire sans réagir, et faites-lui bien comprendre que son papa est votre amoureux. Tout en rassurant à chaque fois votre enfant en lui disant que vous l'aimez, expliquez-lui aussi que cet amour est différent de celui que vous éprouvez pour son père. Quant à votre chambre à coucher, elle ne doit pas lui être accessible.

Ce que je ne veux plus entendre...

C'est mon petit dernier,
je veux en profiter au maximum !

* De la place pour le papa

Papas, rassurez-vous ! Même si votre enfant vous dit qu'il ne vous aime pas et qu'il en est convaincu sur l'instant, cela ne durera pas plus de quelques minutes. D'ailleurs, vous n'êtes pas le seul : à d'autres moments, il n'aime pas sa mère. Même s'il ne peut l'admettre, l'enfant a besoin de ses deux parents. Si l'un d'eux se met en retrait, cela le poussera à compenser ce manque en allant encore plus vers le parent « aimé ». Il ne vous aime pas, ce n'est pas grave, vous vous l'aimez. Construisez avec lui des moments d'intimité, investissez-vous dans les petits instants (pause câlin sur le canapé, discussion au bain, histoire avant de dormir...).

Vous êtes certes une figure de l'autorité, vous devez aider votre enfant à se détacher de sa mère, en montrant bien votre place auprès d'elle et en n'hésitant pas à intervenir lorsqu'il n'obéit pas. Mais vous devez aussi construire dans le quotidien une complicité avec votre tout-petit, en étant persuadé qu'il a autant besoin de vous que de sa maman.

Mot d'ordre

Tenez tête à l'enfant sans culpabiliser.

Pour certaines mères, cette transition n'est pas facile. Mais elles doivent laisser un peu de place à leur conjoint et lui faire confiance. La situation ne s'arrangera pas si la maman jaillit tel le sauveur au moindre cri ou début de pleurs. Il est bénéfique pour toute la famille que ce soit aussi le père qui apaise de temps en temps les crises de colère.

L'œdipe en quelques mots

Le complexe d'Œdipe dure plusieurs années. Vers 3 ans, l'enfant a compris la différence entre un homme et une femme. Il a aussi compris qu'il existait un lien amoureux. Il le voit d'ailleurs chez ses parents. Pour trouver sa place dans cette relation, il va se rapprocher du parent de sexe opposé. Il peut même manifester une certaine hostilité face à l'autre parent. Par périodes, il se rapprochera de ce « rival » pour lui ressembler. L'enfant croit que par cette « ressemblance » il sera plus aimé du parent dont il est amoureux. Vers 6 ou 7 ans, c'est en principe fini. Il s'est construit en tant que petit garçon ou petite fille et se tourne vers de nouveaux défis, comme l'entrée à l'école des grands. Le complexe d'Œdipe est une étape normale et incontournable. Cette alternance d'hostilité et d'amour permet aux garçons et aux filles d'affirmer leur personnalité.

C'est tout bon

- Dire à l'enfant que quand c'est non, c'est non.
- En cas de colère, mettre l'enfant à l'écart le temps qu'il se calme.
- Lui répéter la raison du refus quand il est calme.
- Tenir tête à son enfant sans culpabiliser.
- Le second parent soutien celui qui s'oppose à l'enfant.
- La réconciliation clôt l'épisode de colère.
- Les deux parents participent à la vie quotidienne de l'enfant.
- Les parents sont un couple avec une vie à eux et des lieux réservés (en particulier la chambre).
- Chaque enfant de la famille a du temps seul avec ses parents.

C'est tout faux

- Ne pas réagir aux colères ou aux pleurs.
- Laisser l'enfant taper, casser, mordre, dire des gros mots.
- Revenir sur une décision.
- Ne pas faire confiance à son conjoint.
- Se cacher pour s'embrasser.
- Se disputer devant l'enfant.

Les crises liées à l'affirmation de soi

Vous vivez dans les cris et les pleurs à tous moments. La raison est toujours la même : la volonté de votre enfant est la plus forte. Le petit dernier veut tout régenter. L'aîné réclame toujours des cadeaux ou des récompenses. Quant au second, il trouve que tout est injuste, à commencer par ses parents. Vous avez décidé que ce n'était plus possible. La vie de la famille doit suivre certaines règles. Mais voilà, comment faire ? Par où commencer ?

Ce qui se passe

Selon son âge, l'enfant cherche à imposer son point de vue par les cris, les pleurs, la négociation ou le chantage. Mais ce n'est pas à lui de décider.

* « C'est moi qui décide ! »

Votre enfant, du haut de ses 3 ans, a décidé qu'il prenait tout en main, et cherche à imposer ses désirs dans tous les domaines du quotidien. Il choisit ce que l'on mange, le contenu de la liste des courses, le programme télé, à quelle heure il se couche... De toute façon, si vous n'êtes pas d'accord, il fait une scène. À la maison comme à

l'extérieur, il impose sa volonté et ne connaît aucune limite. Vous avez beau crier ou essayer de lui faire plaisir, rien n'y fait, il est toujours en colère, il veut toujours quelque chose d'autre.

Votre enfant est en pleine phase d'opposition. Aller au-devant de ses désirs et répondre « oui » à toutes ses demandes ne mènera qu'à une chose : toujours plus de demandes. Même si cela peut paraître incroyable, il cherche à ce qu'on lui dise non. Un enfant de cet âge n'a pas à décider pour les adultes. Ce serait angoissant pour lui. Il doit pouvoir compter sur ses parents qui, par des limites, vont lui permettre de se structurer pour grandir plus sereinement.

* « Achète-moi ça ! »

Depuis qu'il a 6 ou 7 ans, impossible d'obtenir quelque chose de votre enfant sans contrepartie ! Il veut bien aller se laver, mais d'abord il veut un bonbon. Il accepte de faire ses devoirs, mais à condition qu'il regarde un DVD après. Cela marche d'ailleurs dans l'autre sens : « Si tu as une bonne note, tu auras un cadeau. » Tout n'est que négociation, menace et chantage dans la famille. Et au moment des courses arrive toujours le sempiternel : « Tu m'achètes un... » Vous avez beau lui dire : « Pas maintenant... », les tractations commencent. Évidemment, l'ambiance s'en ressent. Au fil de la journée, la tension monte, personne ne semble satisfait : ni l'enfant ni les parents. Les cris et les pleurs ne sont pas loin pour clore ces négociations sans fin.

Dans cette situation, il est probable que les parents aient recherché l'accord de leur enfant au sujet des règles et des interdits quand il était plus jeune. Puis ils en sont venus à négocier toutes ses demandes. Le glissement s'est opéré en douceur, et l'explication simple s'est transformée en marchandage. L'enfant se retrouve dans un rapport donnant-donnant avec ses parents. Ses arguments ont autant de poids que ceux de papa ou de maman, ce qui au fond de lui l'inquiète. Les parents doivent arrêter de négocier et dire vraiment non. L'enfant pourra ainsi retrouver une relation avec eux normale pour son âge.

* « C'est pas juste ! »

Maman passe plus de temps avec son petit frère qu'avec lui. Il se couche plus tôt que sa grande sœur. Son cousin plus âgé a le droit de faire du skateboard et pas lui. Le verdict est toujours le même : « C'est pas juste ! » Il se sent rejeté. Il y a une inégalité en sa défaveur, il n'est pas aimé comme il devrait l'être. La colère et le chagrin concluent le plus souvent ces épisodes de jalousie. Et vous culpabilisez devant ses grosses larmes. Pourtant, vous aimez tous vos enfants de la même manière. Vous faites attention

à ne pas léser l'un par rapport à l'autre. Mais il semble toujours débusquer une injustice.

Les enfants ont très tôt un sentiment d'injustice. Cela apparaît dès que leurs désirs ne sont pas satisfaits et que vous posez des limites, entre autres pour les protéger (pas de doigts dans la prise électrique) ou pour leur donner de bonnes habitudes (pas de bonbon avant le repas).

Puis votre enfant découvre un autre type d'« injustice », en se comparant avec les autres, qu'il trouve mieux lotis que lui. Cependant, il remarque surtout ce qui est à son désavantage… En tant que parent, on peut se culpabiliser face à ce type de colère, car elle remet directement en cause notre capacité à satisfaire l'enfant. Mais il ne s'agit pas tant d'un problème de justice que d'une volonté que tout soit toujours égal, pareil pour tous. Cette égalité rêvée n'est pas possible.

Ce qu'on peut faire

À tout âge, un enfant peut refuser les règles régissant la vie familiale. Si la fermeté est toujours de mise, les explications diffèrent selon qu'il est tout petit ou qu'il a l'âge de raison.

* La fin de la dictature

Vous devez prévenir votre enfant que vous n'accepterez plus qu'il décide à votre place. Ce sont papa et maman qui disent ce que l'on mange, le contenu de la liste des courses, le programme télé, l'heure du coucher… S'il fait une colère, il sera mis à l'écart, voire puni. Évidemment, il ne va pas en rester là. Il va éprouver la solidité de la règle en vous mettant à sa manière au défi de tenir parole. En ne refusant pas ce conflit, vous allez, au début, faire face à des colères et des crises de larmes, c'est normal. Les premiers temps, la tension va monter, mais vous devez tenir bon. Si au bout de vingt-quatre heures vous n'avez pas cédé, votre enfant sentira que vous êtes résolu et que les règles ont changé.

Dès qu'il se montre autoritaire, dites-lui « Non ! » avec conviction. S'il commence à geindre, à préparer une colère, prévenez-le que, s'il continue, il sera puni. Restez calme mais ne tardez pas à appliquer la sanction. Menez-le fermement mais sans geste brusque à l'écart (une chaise dans la pièce, au coin ou dans sa chambre) en lui demandant de réfléchir à sa colère. Quand il est calmé, mettez-vous à sa hauteur et captez son regard. Vous lui réexpliquez la règle : manger aux heures de repas, se laver à telle heure… Quand il a bien compris, faites-lui un câlin s'il le veut bien. Il doit savoir que les interdits ne changent rien au fait que vous l'aimez et

que vous êtes là pour lui. Vous le déchargez seulement de choix qu'il n'est pas en âge d'assumer.

* L'amour et les félicitations sont gratuits

Pour un enfant, être capable de faire changer ses parents d'avis n'est pas rassurant. Il se pense fragile et a besoin de leur protection. Cette force est notamment affirmée par la solidité de leurs décisions, de leurs choix.

Mot d'ordre

Les limites aident l'enfant à se construire.

En tant que parent, vous lui donnez amour et protection sans contrepartie. Lui, de son côté, doit apprendre à faire certaines choses, à avoir certains comportements sans récompenses. Seulement parce que ses parents le lui demandent. La vie familiale ne s'organise pas autour d'une négociation constante. L'habitude de la récompense (« Si tu fais ça, tu auras ceci. ») empêche l'enfant de se responsabiliser. Vous entrez dans un rapport de chantage, qu'il soit affectif ou marchand. Et à ce « jeu », vous êtes vite battu par vos petits. Ne culpabilisez pas devant les demandes de votre enfant, mais ne le prenez pas non plus en otage dans un chantage affectif (« Si tu n'es pas sage, je vais être triste. »).

La récompense prendra plutôt la forme de félicitations s'il a fait un effort et qu'il a bien intégré les nouvelles règles. Vous passez ainsi d'un rapport basé sur la négociation constante à une relation se construisant sur le respect et la parole donnée. Cela simplifiera l'existence de tous les membres de la famille.

Circonstances atténuantes

Dans certains cas, les aléas de la vie peuvent avoir un effet sur votre enfant. La naissance d'un petit frère ou d'une petite sœur, un déménagement, une scène de violence dans la rue, la mort d'un aïeul, une hospitalisation... ces événements peuvent entraîner une plus grande agressivité, et une intensification ou un retour des colères. Les règles liées à la gestion de la colère restent les mêmes. Mais il est important de parler avec votre enfant de ce qui s'est passé ou de ce qui est en train d'arriver. Il peut être angoissé et inquiet. C'est le moment de lui expliquer la situation, de lui dire que ce n'est pas à cause de lui, que vous l'aimez toujours et que vous êtes là pour lui.

* Les règles, c'est pour tout le monde

Le problème de votre enfant, c'est qu'il est persuadé d'être dans son bon droit. C'est une victime. D'abord, il faut expliquer que ce qui va à l'encontre des désirs n'est pas forcément injuste : il ne peut pas sortir parce qu'il pleut, c'est comme ça.

Ensuite, quand il commence à se comparer à ses frères et sœurs, demandez-vous si l'égalité parfaite est réalisable. Non ! Si l'on pousse le raisonnement au bout, cela devient absurde. Vais-je offrir une robe chacun à mon fils et à ma fille pour être équitable ? Non, il n'est pas question de donner la même chose à chacun. Ils sont différents, ils n'ont pas les mêmes besoins. Et vous essayez de vous montrer le plus juste possible. L'important est d'être honnête avec soi-même. Si vous favorisez un enfant par rapport à l'autre, l'inégalité est là, c'est logique. En revanche, donner une plus grosse part de gâteau à l'aîné qu'au cadet, c'est normal. Ils ne peuvent pas manger les mêmes quantités.

La gestion de la crise de colère est la même que d'habitude : l'enfant doit d'abord se calmer et apprendre à contrôler les manifestations de sa frustration (cris, pleurs...). Ensuite, parlez avec lui. Faites-lui préciser ce qu'il trouve injuste et discutez-en avec lui. Mais cela ne doit pas dépasser certaines limites. Tout le monde doit obéir

à des règles, en fonction de son âge et de ses capacités. Vous pouvez d'ailleurs lui expliquer que vous-même êtes soumis à certaines contraintes et que vous ne pouvez pas non plus faire tout ce que vous voulez.

Enfin, ne vous attendez pas à être parfait, vous n'êtes pas infaillible. Vous êtes humain, c'est tout. Parfois, vous serez même injuste. En le soupçonnant par exemple d'une faute qu'il n'a pas commise. Vous avez le droit à l'erreur. Vous vous êtes trompé, cela arrive. Reconnaissez-le et excusez-vous si nécessaire auprès de lui. Mais ce n'est pas une raison pour modifier les interdits.

Ce que je ne veux plus entendre…

C'est parce que je l'aime que je n'arrive pas à lui refuser de lui acheter ce qu'il désire.

C'est tout bon

- Ce sont les parents qui établissent les règles.
- Les parents doivent énoncer les règles clairement.
- Si ces règles sont transgressées, il doit y avoir une réaction immédiate et très ferme de la part des parents : les enfants doivent être grondés, voire punis.
- Aux demandes non légitimes des enfants doit s'opposer un « Non ! » explicite de la part des parents.
- Si l'enfant essaye de négocier, lui redire non et lui signifier que c'est sans appel.
- Écouter son enfant.

C'est tout faux

- Ne pas réagir à la colère.
- Culpabiliser, manquer de confiance en soi face à son enfant.
- Manifester son désaccord avec l'autre parent devant l'enfant.
- Différer un refus : « Pas maintenant, mais peut-être plus tard. »
- Laisser croire à l'enfant que ce sont les circonstances extérieures qui l'empêchent d'avoir ce qu'il veut (et non la volonté de ses parents).

Les caprices à table 

Petit déjeuner, déjeuner, dîner, tout moment passé ensemble autour de la table familiale se transforme en affrontement. Les uns ne veulent pas manger comme tout le monde. Les autres jouent avec la nourriture. Les derniers transforment le repas en concert de cris. Tout n'est que tension, colère sourde ou sonore. Mais chacune de ces situations a ses solutions pour que le repas se passe sans cris ni pleurs mais devienne un moment de partage agréable.

Ce qui se passe

Trois situations qui débouchent sur une colère pour un simple repas.

* « C'est pas bon ! »

Chaque fois qu'un plat est servi, votre enfant affirme qu'il ne l'aime pas. Vous avez beau lui préparer des menus qui lui plaisent, ses envies semblent changer tous les jours. Vous insistez, il fait la moue, repousse son assiette et commence à se renfrogner.

Si vous revenez à la charge, la crise n'est pas loin. Inquiet parce qu'il n'a toujours rien mangé, vous finissez par lui proposer autre chose, et même par le laisser choisir

dans le réfrigérateur un aliment qui lui plaît. Il ne faudrait pas, pensez-vous, qu'il se mette en danger en ne mangeant pas !

Chez les plus petits, le refus de manger est pour le moins banal et s'inscrit dans la phase d'opposition. L'enfant dit non de manière systématique quelle que soit la situation. Mais cette attitude est également fréquente passé 3 ans et survient par périodes. Plus les parents s'en inquiètent, plus la situation empire et s'éternise. Quel bonheur de constater que papa et maman se font du souci ! Quelle satisfaction de voir que l'on occupe toute leur attention ! L'enfant se sent alors tout-puissant. Il joue avec l'angoisse de ses parents devant son refus de se nourrir. Et si le père ou la mère insistent, ou menacent, la colère devient l'arme fatale. Répondre aux demandes ne règle pas davantage le problème, car ce n'est pas ce que cherche l'enfant…

* « Je mange quand je veux ! »

Votre enfant n'a pas faim au moment de passer à table. Parfois, il le manifeste ostensiblement en se levant de table pour allumer la télévision ou jouer dans sa chambre. Simple touriste lors du repas, il visite néanmoins souvent le placard ou le réfrigérateur dans la journée pour se servir en gâteaux et en douceurs. Les petits « chipotent », les grands poussent négligemment la nourriture dans leur

assiette. Les parents on beau s'énerver, rien n'y fait. Insister n'entraîne chez l'enfant que la colère ou la bouderie, et le repas se finit en drame.

Ce type de situation peut vite dégénérer et favorise l'installation de mauvaises habitudes. Votre enfant ne mange pas à table et réclame une douceur peu après ; vous cédez, et le problème ressurgit au repas suivant. Il ne mange plus à table mais en dehors des repas. Ritualiser l'acte de se nourrir, en instaurant des heures fixes, est la première condition pour sortir de cette situation conflictuelle. Vous êtes là devant un problème d'autorité. Ce ne sont pas les enfants qui décident ce qu'ils mangent, quand et où ils mangent. À vous de leur imposer de nouvelles règles et de les aider à les respecter. Plus le repas sera un moment agréable, où l'on peut parler et être ensemble, plus ces nouvelles habitudes parviendront néanmoins à s'imposer rapidement à toute la famille.

* À table, tout le monde crie

La table est mise, les enfants prennent place, et l'ambiance est déjà électrique. Le plus jeune attend pour pousser des cris que ses aînés ouvrent la fête par des éclats de voix, des coups de coude, voire dans le pire des cas par une projection de petits pois. Les parents ont beau se mettre en colère, menacer, rien n'y fait. À la fin du repas, il est difficile de savoir qui a mangé quoi, et tout

le monde sort de table énervé. On en arrive à envisager de baisser les bras.

Dans ce cas, les cris et les pleurs résultent simplement de l'agitation. Pour les enfants, les éclats de voix et autres bêtises sont vécus comme un jeu, le repas étant une sorte de récréation, un temps pour s'amuser ensemble. Les parents ne sont pas pris au sérieux car les menaces ne sont pas appliquées. Les enfants ont tellement le champ libre qu'ils ne réalisent pas que ce moment est à part, et qu'il est consacré à deux choses : se nourrir et communiquer. Il est désormais temps de leur apprendre certains codes de la vie en société.

Mot d'ordre

Le repas est un moment de partage et de discussion avec les enfants.

Ce qu'on peut faire

* Les parents choisissent le menu

Pour commencer, un enfant ne se laisse pas mourir de faim. Ce n'est le cas que dans des maladies particulières. Mais si votre enfant est en bonne santé, qu'il n'est pas plus fatigué qu'un autre en ayant une activité physique, et que sa courbe de croissance est normale et régulière,

il n'y a pas de danger. Visiblement, il arrive à satisfaire ses besoins essentiels.

Pour que son attitude change, commencez par le prévenir que, désormais, les parents et les enfants mangeront uniquement ce qu'il y a dans les assiettes. Tout le monde doit au moins goûter tous les plats. En donnant l'exemple, vous inciterez vos enfants (surtout les plus petits) à vous imiter. Sachez toutefois que les plus jeunes ont des difficultés à apprécier plus d'un nouvel aliment ou d'un nouveau plat par repas, et qu'une trop grande variété peut les dérouter.

Si un enfant n'aime pas un plat, il ne faut pas le forcer. Mais il ne doit pas y avoir de plat de remplacement. Il reprendra à la place de l'entrée ou du fromage. Pour désamorcer les crises de colères, vous pouvez commencer par ne plus montrer votre inquiétude. Parler de tout autre chose que de son refus de manger pourra vous aider. En ne donnant pas d'importance à son attitude, vous lui enlèverez la possibilité de jouer avec votre culpabilité ou votre inquiétude. Le but est d'éviter le conflit, sans pour autant céder à ses demandes.

En cas de colère, l'enfant doit tout d'abord se calmer. Les plus petits peuvent être mis à l'écart quelques minutes. Les plus grands peuvent être envoyés dans leur chambre jusqu'à ce que vous décidiez qu'ils reviennent à table.

L'important est qu'ils comprennent qu'une scène ne sert à rien et ne change rien. Vous devez être ferme et surtout ne pas céder !

* Le repas à heures fixes

Commencez par prévenir les enfants que l'alimentation se fera pour toute la famille en même temps. On mange lors du petit déjeuner, du déjeuner, du goûter et du dîner. Les repas se passent à table, et pas sur le canapé ou dans la chambre. Les enfants ne se servent pas tout seuls dans les placards ou le réfrigérateur. Les grignotages dans la journée sont terminés.

Commencez la journée par un solide petit déjeuner. Avant de finir, demandez-lui s'il a assez mangé. Et rappelez-lui qu'il n'aura rien d'autre avant le repas de midi. Restez ferme face à ses demandes. Ne donnez surtout aucun gâteau ou autre douceur à l'approche de l'heure du repas. Si l'enfant se met en colère, ne cédez pas. Qu'il se calme et se rende compte que vous ne changerez pas d'avis. Vous ne faites pas cela pour le brimer mais pour sa santé. Le grignotage continuel favorise l'obésité et ne constitue pas une alimentation équilibrée.

Pour aider vos enfants à prendre ces nouvelles habitudes, n'hésitez pas à modifier le contenu de vos placards en réduisant ou en bannissant les sachets de gâteaux, de

chips et les sodas. Donnez également l'exemple. Si vous grignotez vous-même, vous serez moins crédible ! Enfin, si après réflexion vous constatez que l'enfant s'ennuie à table, ou ne trouve pas sa place dans les discussions, veillez à ce que chacun ait le moyen de s'exprimer lors du repas, afin que ce soit aussi un moment d'échanges agréable pour tous.

La préparation du repas en famille

Au-delà des questions d'autorité, il existe diverses méthodes pour donner aux enfants envie de manger à table. Pour les plus petits, une présentation amusante dans l'assiette, par exemple, peut aider. Une autre option, qui marche souvent assez bien, est d'impliquer les enfants dans la préparation. Dès 2 ans, ils peuvent aider en plaçant les dés de fromage sur la salade, ou en battant un œuf dans un bol… Quand on participe à la cuisine, la curiosité vient plus facilement, car on a envie de goûter ce que l'on a aidé à préparer. On se sent aussi valorisé. C'est un pas de plus dans l'autonomie, et cela permet à tous, filles et garçons, d'apprendre la cuisine, ce qui leur servira dans leur vie d'adulte.

* Le repas, ce n'est pas la récré

Avertissez d'abord les enfants que vous n'accepterez plus qu'ils crient et se bousculent à table. Que s'ils le font quand même ils seront punis. Ensuite, prenez l'habitude de les prévenir une quinzaine de minutes avant l'heure du repas, pour qu'ils puissent finir leurs activités. Les impliquer dans les derniers préparatifs, comme mettre les couverts, ou les serviettes pour les plus petits, peut leur permettre de rentrer plus facilement dans la période du repas.

Pour éviter d'emblée tout débordement, indiquez à chaque enfant sa place à table, elle ne devra pas changer. Ne laissez dégénérer aucune situation. L'enfant qui crie doit être tout de suite averti que, s'il continue, il sortira de table. Le parent qui le dit doit être soutenu par son conjoint si celui-ci est présent. Dès que l'enfant recommence, la sanction annoncée doit être appliquée. Si l'un des enfants se met en colère, il peut être envoyé dans sa chambre et n'en sortira alors que quand ses parents estimeront qu'il s'est calmé et viendront le chercher. Vous pouvez aussi, si votre logement le permet, le faire manger dans une autre pièce (dans la cuisine, par exemple, si le reste de la famille est dans la salle-à-manger). Dans tous les cas, si les enfants crient, n'essayez pas de hurler plus fort qu'eux. De votre côté, essayez de parler sans lever le ton. Votre calme indique votre détermination. De même, quand vous faites sortir de table un enfant trop énervé, efforcez-vous de procéder sans geste brusque ni éclat de voix.

Tout le monde a le droit de parler à table et d'être entendu, mais pas en même temps. Ne laissez plus vos enfants vous couper la parole, ou se couper la parole les uns les autres. Expliquez-leur que chacun pourra dire ce qu'il veut quand vous aurez terminé. Et quand vous avez fini, n'oubliez pas en retour de leur donner la parole, et ne les interrompez pas sans les écouter. L'exemple est souvent le meilleur enseignement.

Ce que je ne veux plus entendre...

Je préfère tout préparer toute seule, ça va plus vite !

C'est tout bon

- Le menu est décidé par les parents.
- Les enfants goûtent la nourriture pour savoir s'ils l'aiment ou pas.
- Si l'on n'aime pas, on n'est pas obligé de manger, mais il n'y a rien en remplacement.
- Tout le monde a la même chose dans son assiette.
- On ne mange qu'aux heures des repas et au goûter.
- Expliquer qu'on doit s'exprimer sans hurler.
- Si l'enfant joue avec la nourriture, soit il sort de table, soit on lui enlève son assiette.

C'est tout faux

- Céder au chantage ou avoir l'air inquiet quand un enfant ne veut pas manger ce qu'il a dans son assiette.
- Accepter que l'enfant choisisse dans le réfrigérateur un « truc » qui lui plaît.
- S'agiter, parler plus fort que les enfants ou crier.
- Faire comme si de rien n'était lorsque la situation n'est pas normale.
- Laisser les enfants seuls à table.
- Faire manger les enfants séparément.

Le bain, et c'est la crise

Voici le moment tant redouté de la fin de journée, l'heure de la toilette. Elisa ne veut plus se laver, elle qui adorait rester dans l'eau il y a quelques mois. Marco crie à chaque fois que sa mère entre dans la salle de bain pour le savonner. Pour Kevin, Andy et Manon, le bain, c'est comme la récré, mais avec l'eau en plus, et maman et papa qui font le spectacle à grand renfort de cris, supplications et menaces…

Ce qui se passe

Quelle que soit la raison, le bain est devenu un moment de tension. À la base des colères, il y a de nouvelles revendications ou de mauvaises habitudes.

* « Je ne me lave plus »

C'est déjà la troisième fois que vous appelez votre enfant pour le laver, et il n'est toujours pas là. Vous entrez dans sa chambre : il est en train de jouer. « Non ! Je ne veux pas le bain ! » Il n'y a plus qu'à l'emmener à la baignoire. Pas le temps de passer la porte et il est déjà tout rouge. Les larmes coulent sur ses joues et il se débat. C'est la bataille pour le déshabiller, le mettre dans le bain et le laver. Vous êtes même obligé de vous y mettre à deux pour lui nettoyer les cheveux. Il est enfin propre mais il

trépigne toujours. Enfin en pyjama, il se calme comme si de rien n'était. Mais vous savez très bien que, demain soir, ce sera la même chose.

Ce type de refus, que l'on retrouve vers 2 ou 3 ans, va souvent de pair avec de nombreux autres conflits. Votre enfant est en pleine phase d'opposition. Comme pour vos autres demandes quotidiennes, il perçoit la toilette comme une contrainte et s'y oppose avec force. Dans la majorité des cas, ce n'est pas tant le bain qui pose problème que le refus généralisé de l'enfant. Il cherche des limites. Vous allez les lui donner en mettant en place quelques règles simples. Cela permettra, après un temps d'adaptation, d'apaiser ses cris et ses pleurs.

* « Je me lave tout seul ! »

Votre enfant n'a pas de problème pour aller à la douche. Cependant, il veut se laver seul. Si vous êtes dans la salle de bains, il se retourne pour se savonner maladroitement. Et comme il ne sait pas le faire, vous êtes obligé de l'aider. Et là, cela se passe mal. Il ne veut pas. Il essaye même d'échapper à vos mains au risque de tomber, et se met à crier quand vous l'attrapez.
Il est en train de cheminer sur la voie de l'autonomie. Ses revendications ne se limitent d'ailleurs pas à l'hygiène, car il veut aussi s'habiller seul. Le conflit apparaît souvent parce qu'il ne sait pas faire seul ce qu'il entreprend et que

vous n'avez pas toujours le temps pour qu'il apprenne à son rythme.

À partir de 5 ans, il se peut qu'il revendique plus fortement sa pudeur face au parent de l'autre sexe. Il n'appréciera pas non plus d'être lavé en présence d'un tiers.

* « Le bain à trois, c'est rigolo ! »

Vous avez fait couler l'eau dans la baignoire et vos trois enfants rentrent dans la salle de bain. Enfin, quand vous n'êtes pas obligé de leur courir après un par un. La bousculade commence quand ils se déshabillent et se poursuit dans la baignoire malgré les risques d'accident. Les cris fusent. Les grands poussent les petits et vous êtes obligé de crier pour leur demander de se laver. L'eau asperge toute la pièce. Ouf ! C'est fini ! Mais sur le pas de la porte, vous contemplez la salle de bain toute mouillée et les vêtements sales gorgés d'eau. Les enfants sont déjà repartis, mais il reste encore à les coucher et ils sont aussi énervés que vous.
Un parent seul peut difficilement s'occuper de trois enfants dissipés pendant le bain. Le déroulement de la toilette étant nécessairement variable selon l'attitude des uns et des autres, les enfants sont constamment sous tension et s'excitent mutuellement. En outre, le plus grand, qui se lave déjà seul, ne peut pas avoir de moment d'intimité car les parents sont là pour s'occuper des plus petits.

Ce qu'on peut faire

* Le bain, c'est sympa

Dites calmement mais avec conviction que le bain est indispensable. Mais c'est aussi un moment agréable. La mise en place d'un rituel peut faciliter la transition. Prévenez votre enfant que dans dix minutes, il fera sa toilette. Invitez-le à préparer son bain avec vous : pour remplir la baignoire, choisir une pastille qui colore l'eau, prendre un jouet pour s'occuper… Ensuite, il ne reste qu'à se déshabiller, mettre ses vêtements dans le panier à linge sale et entrer dans le bain. Vous pouvez aussi le motiver en lui fixant un défi d'enfants. « Tu vas me montrer que tu nages aussi bien que Nemo ! »

Mot d'ordre

Le bain est un moment de calme et d'intimité.

Exécutez tout ce cérémonial calmement, en prenant ses objections avec un peu d'humour, mais sans vous moquer de lui. Que l'enfant râle ou pleure, il n'y a pas d'échappatoire.

Restez ferme mais parlez-lui gentiment en essayant de détourner son attention du bain. Quand il est dans l'eau, il peut jouer, mais sans que cela dégénère. Passez ensuite à la toilette, qu'il fera seul ou avec votre aide, selon son âge. Puis laissez-lui un peu de temps, sans oublier de le prévenir un peu avant qu'il sorte. Aidez-le à se sécher en lui faisant un compliment sur sa propreté. Un petit câlin, et c'est fini.

* J'apprends à me laver

Dans le cas du « Je me lave tout seul ! », l'apparition de la colère et des cris est ici liée à deux choses : la quête d'autonomie et la pudeur naissante. Le problème des cris et des pleurs au moment du bain peut être réglé par de légers aménagements.

Si votre enfant veut se laver seul, il doit apprendre à bien le faire. Pour commencer, vous pouvez parler avec lui et énumérer un ordre pour laver les différentes parties du corps. Ne vous attendez pas à ce qu'il le fasse parfaitement dès la première fois. Cela lui prendra un peu de temps, mais renforcera sa confiance en lui. Vous conviendrez aussi avec lui que l'un de ses parents vérifiera qu'il s'est bien nettoyé. Celui-ci l'aidera alors pour se laver le dos et pour le shampoing.

Côté pudeur, notamment à la période de l'entrée à l'école, il se peut que les petits garçons ne veuillent plus être lavés par leur maman. Votre enfant n'est plus un bébé et le fait d'être nu devant vous le gêne. C'est alors au papa de prendre le relais. Le temps de la toilette offrira

d'ailleurs à certains pères l'opportunité d'un moment de complicité.
Quel que soit le parent, le bain doit être un moment de détente. C'est l'occasion de faire un jeu calme ou de discuter paisiblement.

Je ne veux pas me laver

À l'approche des 10 ans, les enfants, en particulier les garçons, sont un peu moins soigneux. Ils adorent les activités en extérieur, comme le foot, grimper aux arbres, enfin tout ce qui leur permet de courir avec les copains. Résultat, ils sont sales de la tête au pied, ont abîmé leurs vêtements et renâclent en plus bien souvent à se laver. Si l'opposition ne se manifeste pas forcément par la colère, il faut parfois insister lourdement pour qu'ils passent par la case « lavabo » ou « baignoire ». Veillez dans ce cas à ce qu'ils se soient bien lavés et qu'ils n'aient pas simplement changé de tee-shirt et de survêtement.

* Le bain, un moment calme

Quand on a plusieurs enfants, leur faire prendre le bain ensemble peut entraîner certains désagréments. Ce doit être un moment pour se calmer et non pour raviver les

tensions de la journée. Visiblement, ce n'est pas possible quand ils sont tous les trois en même temps dans la salle de bains. L'excitation est souvent renforcée par la différence d'âge.
Prévenez vos enfants qu'ils prendront désormais leur bain séparément. Indiquez l'heure pour le premier à passer, et dites-leur que, dix minutes après, ce sera au suivant. Au moment du bain, prévenez le premier enfant quelques minutes avant pour qu'il puisse finir son activité en cours. Quand il entre dans la salle de bain, insistez pour qu'il mette lui-même son linge dans le panier. Suivre chaque jour le même rituel peut permettre d'apaiser l'enfant : une période de jeu calme, le nettoyage, le séchage et un doux câlin avant de laisser la place au suivant. Si l'enfant crie dans le bain, dites-lui que la prochaine fois, il n'aura pas de bain mais une douche rapide sans temps de jeu dans l'eau.
L'autre parent peut s'occuper des enfants secs et avoir un moment tranquille avec eux. C'est l'opportunité de commencer la soirée calmement.

Ce que je ne veux plus entendre...

C'est la fin de la journée, c'est normal qu'ils se défoulent dans le bain !

C'est tout bon

- Prévenir l'enfant un quart d'heure avant son bain.
- Les enfants rangent leurs habits dans le bac à linge sale.
- Rester avec l'enfant pendant le bain (s'il le souhaite !).
- Jouer avec lui à des jeux calmes.
- Limiter la durée du bain à environ dix minutes.
- Prévenir l'enfant quelques minutes avant la sortie du bain et le sécher en lui faisant un câlin.
- Le père peut aussi participer et baigner les enfants.
- Chaque enfant se lave à son tour.

C'est tout faux

- Les enfants qui hurlent.
- Céder à l'hystérie au milieu de la salle de bain.
- Obliger l'enfant à être lavé par un adulte après 4 ou 5 ans.

Les caprices pour aller dormir

La soirée avance, il est vingt-deux heures, et Benoît n'est toujours pas endormi, car il ne peut pas trouver le sommeil tout seul. Ève, quelques appartements plus loin, ne veut pas être dans sa chambre. Elle ne s'endormira que dans le lit de ses parents. Et si par « malheur » elle se réveille en pleine nuit dans son lit, ses hurlements ont vite fait d'alerter tout l'immeuble. Avec Mika, dans un pavillon voisin, c'est chaque soir différent : il veut dormir dans la chambre de sa sœur aînée, sur le canapé devant la télé… mais jamais dans son lit. Le résultat est le même dans chaque famille : le coucher devient un moment d'angoisse qui n'en finit pas, dont pâtissent les parents comme les enfants.

? Ce qui se passe

Au moment d'aller se coucher, c'est la crise. Toutes les raisons sont bonnes pour ne pas s'endormir.

* « Je ne peux pas dormir seul ! »

L'enfant essaye de s'endormir… Vous veillez sur lui, en tenant sa main ou en le serrant contre vous. Plus un bruit dans la maison, toute parole n'est plus que murmure.

Enfin, son souffle devient régulier, apaisé. Il s'est endormi. Commencent alors de savantes manœuvres. Quitter en catimini sa chambre ou, plus difficile encore, le porter jusqu'à son lit et repartir sans heurt. Bien que l'enfant se soit endormi, l'angoisse des parents reste grande. Il ne faut surtout pas qu'il se réveille, sinon tout sera à recommencer, avec les cris et les pleurs en plus. La soirée peut continuer, mais au prix du silence. L'enfant dort, mais la vie s'est arrêtée dans la maison.

En principe, un enfant est capable de s'endormir en dehors des bras de ses parents bien avant l'âge de 2 ans. Il n'a pas non plus besoin qu'on lui tienne la main. Si cette dépendance physique à ses parents, et en particulier à sa mère, ne diminue pas avec l'âge, il est temps de l'aider à grandir. Un enfant qui ne parvient pas à s'endormir seul est un enfant qui est angoissé par la séparation du soir. Il va donc falloir le rassurer, mais autrement que par de simples gestes : avec un rituel du coucher, variable selon l'âge. Au début, cela passera par des cris et des pleurs. Mais cette étape est néanmoins nécessaire pour qu'il gagne progressivement en autonomie et qu'il s'approprie son sommeil. Quant au silence, il n'est pas indispensable. Un enfant dort très bien même si la vie continue dans la maison.

* « Pas encore ! »

« Il est l'heure de dormir » ; « Va dans ton lit » ; « Éteins ta lumière. » Ces phrases résonnent tous les soirs. Quel que soit son âge, l'enfant a toujours quelque chose à finir. Que ce soit grâce à un refus (« Non, je veux pas ! »), à une promesse (« Encore une minute ») ou à une revendication (« Mais les autres ne dorment pas »), il ne se couche pas. La valse commence. Soit c'est l'enfant qui ressort de son lit sous un prétexte quelconque, soit ce sont les parents qui, lassés, entrent dans la chambre pour lui demander de cesser de jouer. Les minutes et les heures passent… Si les parents se fâchent, l'enfant se montre encore plus énervé. Alors c'est l'abandon, et chacun, résigné, attend que l'enfant veuille bien s'endormir.

Diverses raisons peuvent faire qu'un enfant cherche à retarder l'heure de dormir. Cette attitude peut s'expliquer par des activités trop excitantes dans l'heure précédant le coucher, comme regarder un dessin animé violent. Il peut arriver aussi que l'enfant ait manqué d'un temps de complicité et de câlin avec son papa et sa maman depuis son retour de l'école, et qu'il réclame ainsi leur attention à sa façon. Dans d'autres cas, il veut simplement faire comme l'aîné et n'accepte pas que l'heure du coucher varie selon l'âge. Enfin, il est aussi possible qu'il éprouve de réelles difficultés à s'endormir, parce qu'il traverse une période difficile pour lui, comme l'en-

trée à l'école, maternelle ou primaire, un changement dans les modes de vie familiaux ou toute autre phase de transition un tant soit peu délicate.

* « Je dors où je veux ! »

Il est vingt heures et le jeu du « lit musical » commence. Comme tous les soirs, le cadet va choisir où il dort. Armé de son coussin, il s'avance vers la chambre de l'un de ses grands frères, mais bifurque au dernier moment pour s'engouffrer dans celle de ses parents. La fratrie est rassurée. Les parents, eux, se regardent embêtés. Qui va dormir sur le canapé, cette nuit ? C'est vrai, ce n'est pas confortable. Mais c'est tellement préférable à ses pleurs de colère…

Cette situation illustre clairement la situation d'une maison où c'est l'enfant qui fait la loi, et l'on peut supposer que cette attitude ne se manifeste pas que lors du coucher. Ce petit enfant ne rencontre visiblement pas de limites à sa volonté. Comment en est-on arrivé là ? Il existe maintes explications possibles. Il est le garçon ou la fille que l'on n'espérait plus ; il a été malade quand il était bébé ; ou il est tout simplement le petit dernier tant attendu. Quoi qu'il en soit, il semble qu'il soit choyé par tous et que personne ne veuille le contrarier, comme s'il était encore un bébé. Tout enfant, pourtant, a besoin de suivre des règles et de trouver des bornes à sa toute-puissance. En apprenant à dormir dans son lit, il apprendra aussi à respecter l'espace d'autrui.

Ce qu'on peut faire

* Papa et maman ne sont pas loin

C'est en instaurant un autre rituel du coucher que vous allez aider votre enfant à s'endormir dans son lit, en dehors de vos bras. Expliquez-lui d'abord que, tous les soirs, ce sera la même chose : dîner, lavage des dents, mettre son pyjama, lecture, câlin, extinction des feux, départ de papa ou maman… qui ne resteront pas ! Même si cette répétition semble lassante, elle est très rassurante pour l'enfant, qui peut ainsi anticiper chaque étape.

Les premiers soirs, voire les premières semaines, il pleure quand vous quittez la chambre. Vous pouvez revenir l'apaiser du seuil par des mots, deux ou trois fois, mais pas plus. Il vous faudra dans tous les cas résister à l'envie de le prendre dans vos bras. Au fur et à mesure, il parviendra à se calmer tout seul. Mais encore faut-il que vous soyez vous-même convaincu qu'il en est capable et qu'il n'est plus un bébé.

Ensuite, quand il est couché, vous devez avoir une vie de couple normale. La vie continue après l'arrivée des enfants. Le fait que vous poursuiviez vos occupations est

apaisant pour le petit garçon ou la petite fille, même si cela peut paraître paradoxal. Ses parents sont toujours là et ils ont leurs propres activités. Quand il dort, ils ne disparaissent pas.

* Quand c'est l'heure, c'est l'heure

Prévenez votre enfant : à partir de ce soir, il se couchera à l'heure dite. Quand ce moment arrive, il doit être dans son lit, la lumière éteinte. Ce n'est pas négociable ! Là encore, un rituel, par son caractère répétitif, aidera petits et grands à trouver l'apaisement. Tous les soirs, le même rythme s'impose pour mener au sommeil.
Il faut en outre éviter toute activité excitante avant le coucher. On ne joue pas à la bagarre ou à cache-cache. Les plus grands n'allument ni la console ni l'ordinateur. Lire une histoire seul ou avec l'un des parents doit avoir une fin. Il n'y a ni seconde histoire, ni chapitre suivant. On peut aussi se raconter l'un à l'autre un moment de sa journée que l'on a aimé. Mais toujours dans un temps défini.

Si l'enfant traverse un passage difficile, comme l'entrée en primaire, les règles seront les mêmes, mais il faudra alors peut-être prévoir de passer avec lui davantage de temps dans la soirée pour qu'il se sente soutenu et puisse, s'il en a envie, parler de sa journée.

Dormir en dehors de la maison

L'excitation aidant, un jeune enfant peut avoir du mal à s'endormir hors de chez lui. Pour le préparer à cet événement un peu exceptionnel, il est important de lui en parler un peu avant, puis, le jour même, de lui rappeler comment la soirée va se dérouler. N'oubliez pas d'emporter son doudou et son jouet préféré, et, dans la mesure du possible, essayez de préserver le rituel du coucher, quitte à l'écourter un peu. Enfin, les premières fois, préférez un environnement qu'il connaît, que ce soit dans la famille ou chez des amis. Quand le séjour à l'extérieur de la maison dure plusieurs jours, lors des vacances, notamment, il arrive souvent qu'en rentrant à la maison le coucher redevienne un moment difficile. Plus vous vous serez écarté des modes de vie habituels, plus la reprise des bonnes habitudes prendra du temps.

* Chacun dort dans son lit

L'enfant doit comprendre qu'il lui faut dormir dans sa chambre. Chacun a pour soi une pièce distincte. Ce n'est pas à lui de décider où chacun dort. Cette responsabilité est trop lourde pour ses épaules, même s'il semble en profiter. Le fait que les parents sont ceux qui indiquent les limites est rassurant pour l'enfant. Tout lui

céder sous prétexte qu'il est encore petit n'est pas lui rendre service.
Pour qu'il s'approprie sa chambre, il devra s'y endormir aussi bien lors de la sieste que le soir. Bien sûr, si on lui demande de ne pas dormir dans le lit de son frère ou de sa sœur et de respecter leur espace, il faut aussi qu'on lui montre que sa chambre est à lui, et qu'il peut par exemple décider d'y jouer seul s'il en a envie.

Mot d'ordre

Chacun dort dans son lit.

Quant à l'interdit de dormir avec ses parents, il est essentiel pour les enfants. Ils ne vont ni se marier avec maman ni partir avec papa. Cette envie de leur part est normale, mais il est tout aussi normal que les parents refusent de manière très claire. Les enfants ne remplacent pas un parent. Les parents les aiment tout aussi fort, mais différemment.

Ce que je ne veux plus entendre...

À 4 ans, c'est normal d'avoir encore besoin des bras de sa maman pour s'endormir !

C'est tout bon

- Annoncer à l'enfant qu'il dormira seul dans sa chambre tous les soirs.
- Lui expliquer que tous les soirs ce sera la même chose : dîner, lavage des dents, mettre son pyjama, lecture, câlin, extinction des feux, départ de papa ou maman.
- Appliquer à la lettre ce programme.
- Les deux parents doivent pouvoir coucher alternativement leur enfant.
- Si l'enfant sort de sa chambre, il doit y être ramené.
- Expliquer que chacun dort dans son lit.
- Le féliciter pour l'encourager quand il s'est couché sans problème.

C'est tout faux

- Les faux départs.
- Justifier le refus de l'enfant d'aller se coucher en disant que c'est parce qu'il est « du soir ».
- Les fausses promesses, les fausses menaces.
- Accepter que l'enfant ne s'endorme pas dans son lit.
- Accepter que l'enfant s'endorme avec un parent à côté de lui.

La colère en public

Pierre et Julie courent partout et réclament toujours quelque chose lors des courses. Ibrahim, lui, n'arrive pas à rester sur sa chaise au restaurant et gêne les autres clients. Quant à Fanny, elle pleure au spectacle, alors que l'idée, en l'y amenant, était de lui faire plaisir. Toutes ces situations diffèrent, mais elles ont pour point commun de mettre les parents très mal à l'aise, en les exposant aux regards d'autrui. Hormis dans le dernier cas, la fermeté reste pourtant de mise.

Ce qui se passe

Votre enfant fait une crise en public. Que ce soit au supermarché, au restaurant ou au spectacle, c'est toujours pour vous un moment particulièrement pénible.

* L'enfer des courses

Comme chaque semaine, il faut remplir le réfrigérateur. Toute la famille est dans la voiture, direction le supermarché. Le chariot bien en main, vous passez les portes coulissantes avec la ferme intention de vous en tenir à la liste des courses. Trois quarts d'heure plus tard, vous êtes sur le parking. Le plus grand pleure parce qu'il n'a pas eu son jouet. La petite hurle pour être dans le tempo. Et vous-même êtes en train de chercher en vous le moyen de vous calmer avant de reprendre la route. Enfin, vous n'avez fait que la moitié des courses.

Les publicitaires l'ont bien compris, les enfants sont des prescripteurs tenaces. La société – et le supermarché – leur proposent de nombreux produits en leur promettant qu'ils vont les combler, leur apporter la félicité. Mais les méchants parents les empêchent d'accéder à ce bonheur ! Vos enfants vont tout de même essayer, avec un petit avantage sur vous. Visiblement, quand il y a du public, vous semblez moins sûr de vous pour appliquer les règles. Et la colère, les cris et les pleurs font tourner les têtes des gens autour. Vous rougissez et cédez. Comme cela marche, pourquoi ne pas continuer ?

* Malaise au restaurant

Aujourd'hui, vous n'avez pas envie de faire la cuisine. Vous entrez dans la chambre de votre enfant : « Surprise, on va au restaurant ! » Le petit dans la voiture est tout excité, c'est la première fois qu'il va au restaurant. Bon, il n'est pas très calme à table, mais le décorum et l'ambiance devraient assez l'impressionner pour qu'il soit sage. À peine arrivé, il se met à courir partout. Vous êtes admiratif, quelle vitalité ! Il s'assoit enfin, mais il a du mal à attendre l'arrivée de la commande. Il veut aller dehors, mais vous en êtes au plat principal, qui risque de refroidir. Il se met à pleurer, vous cédez. Impossible ensuite de le faire ren-

trer dans la salle, il ne veut pas. Vous allez chercher votre conjoint, vous payez et vous partez avant le café.

Courir partout en public n'est pas un signe de caractère. Il s'agit simplement d'un enfant qui confond le restaurant avec un square. C'est aux parents de lui dire que les comportements sont différents en fonction des lieux. Il doit apprendre à respecter les autres. Pour qu'il le comprenne, il faut le lui dire, il ne peut pas le deviner tout seul. Un enfant qui est agité pendant le repas à la maison a peu de chances d'être sage au restaurant. Il est préférable de procéder par étape et d'attendre qu'il ait d'abord assimilé les règles du repas en famille. Avant 3 ans, un repas qui excède vingt minutes est trop long. Mais vers 6 ou 7 ans, un enfant peut profiter pleinement du restaurant tant que le déjeuner ne s'éternise pas pendant des heures.

* Sortie ratée

C'est le week-end, vous avez décidé de sortir avec votre enfant. Vous avez sélectionné un spectacle qui devrait lui plaire. En chemin, vous l'emmenez faire un tour de manège, car c'est jour de fête. Mais il ne veut plus en descendre. Il réclame un tour de plus, et un autre… Vous finissez par vous rebeller et lui dire : « Non, nous n'avons plus le temps, le spectacle va commencer. » Après un petit sprint pour arriver à temps dans la salle, votre

enfant sèche ses dernières larmes et s'assoit. Au bout de dix minutes, visiblement, l'histoire ne l'intéresse pas. Il se trémousse sur son siège : « Je veux partir ! » « Non, attends la fin du spectacle. » Cinq minutes plus tard vous êtes sur le trottoir, énervé. Vous avez dû fuir la salle à cause des cris de votre petit.

Les drames au départ du manège sont chose fréquente, et il ne s'agit là que d'une banale colère qui demande autant de fermeté que d'habitude. En prévenant l'enfant juste avant qu'il ne pourra faire que deux ou trois tours, par exemple, et en ne cédant pas s'il en redemande, les crises se feront moins fréquentes. Le problème est différent pour tout ce qui concerne les spectacles, le cinéma, le musée et autres sorties plus culturelles. Censées faire plaisir à l'enfant, celles-ci ratent parfois leur objectif, soit que l'enfant n'est pas intéressé, soit qu'il ressent de la peur ou de l'inquiétude.
Même les activités prévues pour un âge déterminé demandent parfois une maturité que l'enfant n'a pas encore acquise. Il est souvent difficile de savoir à l'avance si la sortie proposée lui conviendra vraiment. Et si tel n'est pas le cas, il est inutile de le forcer, car cela risque de le dégoûter de ce type de loisir.

Ce qu'on peut faire

* Les courses, une histoire de famille

Soyons clair, les courses hebdomadaires au supermarché ne sont une partie de plaisir pour personne. Mais elles sont nécessaires pour remplir le réfrigérateur et nourrir toute la famille. Il n'est pas question que cela devienne en plus un parcours du combattant pour vous.

Pour changer cela, il va falloir un petit peu de préparation et prévenir vos enfants qu'il y a de nouvelles règles. Avant de partir, parlez à chacun à tour de rôle. Dites-lui que les courses doivent se passer dans le calme. Ils doivent rester à côté de vous. Vous ne leur achèterez aucun cadeau. S'ils n'en font qu'à leur tête, ils seront punis. Rappelez-vous : pour les convaincre, vous devez être convaincu.

Si au supermarché ils font des bêtises ou se mettent en colère, ne cédez pas, appliquez ce que vous avez annoncé. Vos enfants croient vos paroles, mais surtout vos actes. Face aux réactions et aux remarques des autres clients, rappelez-vous que vous êtes en train de les aider à grandir et à apprendre à vivre en société. Les personnes autour de vous ne les verront que durant quelques minutes, tandis que vous, vous construisez leur éducation sur le long terme. Ce que vous cédez à l'extérieur sera remis en question aussi à la maison.

Les enfants s'ennuient pendant les courses ? Pourquoi ne pas les occuper en leur demandant de vous aider ? Ils peuvent être responsables d'un aliment jusqu'à son passage en caisse, aider à choisir tel ou tel aliment… Vous leur permettez un choix mais dans certaines limites. Ce n'est pas pour autant eux qui décident des achats. Si un enfant glisse quelque chose dans le Caddie, demandez-lui de le remettre à sa place.

Ce que je ne veux plus entendre…

Les courses vont plus vite si je cède à ses demandes.

* Au pays des grands

La sortie au restaurant n'est pas un événement anodin, elle doit être préparée. En en parlant avec votre enfant, en lui expliquant comment va se dérouler le repas, vous l'aidez à se sentir plus rassuré, à trouver des repères pour faire comme les grands. Pensez aussi qu'un petit n'a pas la même notion du temps que vous. Pour le faire patienter entre chaque plat, faites-le s'intéresser à la salle, occupez-le éventuellement avec un petit jeu…

L'enfant qui est insupportable ou se met en colère doit être repris tout de suite. Ce n'est pas parce qu'il y a des gens autour que les règles ne s'appliquent plus. Il est mis à l'écart (sur une chaise un peu éloignée de la table, par exemple), et le repas continue normalement pour le reste de la famille. S'il est très bruyant, l'un des parents peut l'emmener à l'extérieur de la salle ou à la voiture. Là, il devra se calmer. N'oubliez pas, le but est de revenir s'asseoir. Avant qu'il s'asseye, vous lui expliquez à nouveau pourquoi il est sorti de table. Prévenez-le que s'il recommence, il sera encore mis à l'écart ou que vous appellerez le serveur pour qu'il enlève son assiette. Il est important qu'il réalise que sa colère ne lui donne pas le pouvoir de perturber le repas du reste de la famille ou des autres personnes présentes.

Ce que je ne veux plus entendre...

Ce n'est qu'au fast-food
qu'on peut sortir en famille !

* Sortir ensemble

Les sorties doivent être préparées avec votre enfant. L'idée n'est pas de lui demander de participer à leur

organisation, mais de lui proposer un choix entre deux ou trois activités. C'est en discutant avec lui que vous pourrez trouver l'activité qui le passionnera le plus. Il aime les étoiles, direction le planétarium. Il est fou de foot, l'équipe locale joue ce week-end. Il veut tout savoir sur les pharaons, il y a bien un musée avec des antiquités…

Parler au préalable de l'activité prévue est également important. Dans le cadre d'une exposition ou d'un spectacle, vous pouvez vous documenter. Internet permet de trouver de nombreux renseignements, et il existe des livres pour enfants permettant par exemple d'aborder les musées sous un angle ludique. La motivation de votre enfant sera d'autant plus grande qu'il pourra s'approprier l'activité et être pleinement acteur de ce loisir partagé avec vous.

Mot d'ordre

Vous ne cédez pas sous le regard des autres !

Quand la sortie tourne court, le parent est d'autant plus frustré qu'il a investi de l'argent et du temps. Privilégiez donc pour les premières sorties des activités peu chères ou gratuites. Votre enfant peut ne pas être réceptif à ce moment-là, ou être perturbé par ce qu'il voit. Soyez toujours prêt à quitter le spectacle ou l'endroit où a lieu la sortie si ce n'est plus un plaisir pour vous deux. L'idée est de passer une bonne matinée ou un bon après-midi ensemble.

Attention aux spectacles l'après-midi pour les tout-petits. Cela peut tourner au drame uniquement parce que l'enfant a sommeil !

En discutant avant et après la sortie, vous stimulez votre enfant. À travers ce dialogue, vous renforcez votre relation et le découvrez hors du quotidien.

L'attente aux caisses

Le moment de payer est souvent peu agréable… En général, il y a la queue et les enfants deviennent impatients, s'énervent, pour finir par crier ou pleurer. Quand vous êtes dans un supermarché, vous pouvez faire participer vos enfants qui vous aideront en fonction de leur âge à mettre les achats sur le tapis roulant. En sortie de caisse, chacun d'eux a en charge un sac et récupère l'un les surgelés, l'autre les boîtes de conserves, etc. Lors des sorties culturelles, l'attente à la caisse, qui se fait avant, peut être aussi source d'excitation. Deux pistes pour esquiver la tension… Vous pouvez prévenir le problème en achetant les billets à l'avance. Ou, si les deux parents sont présents, l'un d'eux va acheter les billets pendant que le second s'occupe des enfants.

C'est tout bon

- Avant de faire une activité à l'extérieur, prévenez votre enfant du comportement que vous attendez de lui.
- L'enfant en colère est mis à l'écart sans attendre. Les autres membres de la famille continuent l'activité en cours.
- Rester calme et appliquer la règle annoncée.
- Permettre à l'enfant un choix seulement dans des limites que vous fixez.
- Quand il s'est bien comporté, félicitez-le pour son attitude.

C'est tout faux

- Utiliser le chantage : « Si tu es sage, je t'achèterai un cadeau après. » Le comportement que vous demandez à votre enfant est normal, il ne nécessite pas un cadeau.
- Les menaces : « Si tu continues, je t'abandonne ici ! » Comme vous ne le ferez pas, inutile de proférer cette menace : elle fait peur à l'enfant dans un premier temps et, dans un second, elle décrédibilise à ses yeux ce que vous dites.
- Crier plus fort que lui.
- Ne pas finir ce pour quoi vous êtes sorti.

Les crises devant les amis

Vous avez eu une ou deux mauvaises expériences en recevant ou en allant chez des amis. Votre enfant a été infernal à la maison, ne laissant aucun répit aux adultes. Chez vos amis, il a été plus calme au début, puis il s'est énervé, précipitant le retour au domicile. Pourtant, vous êtes sûr que ces rendez-vous amicaux pourraient constituer un moment agréable pour tout le monde, enfants comme adultes. Voici quelques pistes pour arrêter les colères et retrouver une vie sociale normale avec votre entourage.

? Ce qui se passe

Votre enfant est insupportable quand vous voyez vos amis. Que ce soit à la maison ou à l'extérieur, le résultat est le même : colères et pleurs écourtent les visites.

* « J'aime pas les invités ! »

Ce midi, vous recevez quelques amis. L'idée est de passer un bon moment ensemble et d'échanger les dernières nouvelles. Pendant que vous réglez les ultimes préparatifs, une ombre rôde dans la maison. Votre enfant de 5 ans semble en proie à la mauvaise humeur. La sonnette

retentit, Paul et Maeva sont les premiers arrivés. Quand ils font mine de dire bonjour à votre fils, il s'enfuit dans sa chambre. À table, rien ne s'arrange, il ne veut pas manger ce qu'il y a dans son assiette. Il coupe plusieurs fois la parole aux adultes, avant de se lever pour courir dans le salon. Tout le monde semble gêné. Les invités se sont tus. Monsieur plonge le nez dans son assiette pendant que madame se souvient qu'elle a à faire dans la cuisine…
À 5 ans, un enfant ne doit pas se montrer insupportable quand ses parents reçoivent des invités. Dans ce cas précis, l'attitude de l'enfant est d'ailleurs probablement assez similaire le reste du temps. Il essaye de monopoliser l'attention par des crises et des désobéissances. Le papa et la maman doivent faire preuve d'autorité face à leur petit. Reprendre leur rôle de parents. Il est important qu'un enfant apprenne à respecter les adultes, et en premier lieu ses parents. Pour cela, il faut lui expliquer le comportement que l'on attend de lui.

* « Je veux rentrer ! »

Vous venez d'arriver chez vos meilleurs amis. Votre enfant est un peu timide au début, puis il commence à retrouver de l'assurance. Il observe, tourne dans le salon. Régulièrement, il essaye de s'insérer dans les discussions ou d'attirer votre attention. Et tout d'un coup, c'est le drame. Sans que vous compreniez pourquoi, il se met en colère. Il dit qu'il veut partir. Qu'il n'aime pas cet endroit. Que tout

le monde est méchant. Résignés, l'enfant en pleurs dans les bras, vous rebroussez chemin vers la voiture. Ce sera pour la prochaine fois, peut-être…

Même si votre enfant sait faire face à ses colères, il peut, dans un cadre inconnu, se sentir rejeté. Si en plus il ne sait pas quoi faire, vous vous exposez à une bêtise ou à une colère. Il tente ainsi d'attirer l'attention et de briser son ennui. Quelques explications sur le déroulement de la visite et un peu de préparation devraient permettre d'éviter les plus grosses crises.

Ce qu'on peut faire

* Gérer la crise chez soi

Prévenez votre enfant que vous ne tolérerez pas qu'il soit insupportable parce que vous avez des invités. Il doit leur dire bonjour, même s'il n'est pas obligé de les embrasser ou de se laisser toucher. C'est lui qui choisit. En revanche, s'il fait une crise (refuser de manger à table, crier dans le salon…), il sera mis à l'écart. Et s'il continue, il sera puni. Demandez-lui s'il a bien compris.

En cas de crise ou de désobéissance, n'attendez pas pour réagir. Plus vous réagissez vite à la colère de votre enfant, moins vous risquez de vous énerver. Emmenez-le calmement et fermement à l'écart pour qu'il se reprenne.

Il doit constater que ses deux parents sont d'accord et qu'ils font ce qu'ils ont annoncé. Ne cédez pas. Quelle que soit sa réaction, vous devez poursuivre votre soirée avec vos amis. Il ne doit pas avoir le pouvoir de modifier avec sa colère l'événement en cours.

Si le repas risque d'être trop long pour lui, servez-le avant. En lui donnant la même chose qu'aux invités, son déjeuner ou son dîner prendra un petit air de fête.

Ce que je ne veux plus entendre...

S'il ne dit pas bonjour, c'est qu'il est un peu timide.

* Découvrir un autre monde

Comme pour toute sortie, rappelez à votre enfant l'attitude que vous attendez de lui. Avant de partir, parlez avec lui de la visite. À quoi ressemblent les gens qu'il va rencontrer? Où est l'appartement, la maison? C'est à combien de temps en voiture ou en bus?... Vous verrez, il a une foule de questions. Pour qu'il ne s'ennuie pas, demandez-lui de choisir un ou deux jouets qu'il pourra utiliser à l'intérieur, ou à l'extérieur si un jardin est accessible.

En arrivant, faites le tour du propriétaire avec vos hôtes. Vous connaissez bien l'endroit, mais pour votre enfant, c'est une découverte. Il s'appropriera plus facilement les lieux et saura ainsi que derrière telle porte se trouve la salle de bain, et pas l'antre d'un monstre.
Même si votre enfant joue tranquillement dans son coin, il n'en a pas pour autant rien à dire. Être à l'écoute lui donnera l'occasion de s'exprimer sur certains sujets abordés par les adultes. Si la visite est longue (déjeuner et tout l'après-midi, par exemple), prévoyez de lui consacrer un peu de temps, rien que pour lui.

Ce que je ne veux plus entendre...

Il adore être le centre d'attraction chez nos amis : c'est un vrai clown !

* Et si on se préparait ensemble ?

Sortir chez des amis ou recevoir des invités est un moment que vous préparez en couple. Pourquoi ne pas y associer aussi votre enfant ?
Naturellement, vous connaissez bien les personnes que vous avez invitées, puisque ce sont vos amis. Mais pour lui, ce sont peut-être des inconnus. Parlez-lui un peu des

personnes qui vont venir. C'est un ami de papa ? De maman ? Comment se sont-ils connus ?…
Votre enfant se demande aussi comment va se dérouler l'après-midi ou la soirée. Il est surtout très intéressé par tout ce qui le concerne directement : les amis ont une petite fille de son âge ; il y aura du jus de fruits et des crackers pour l'apéritif…
Vous faites de votre côté un effort vestimentaire. Demandez à votre enfant de choisir une belle tenue qui lui plaît. Vous mettez les petits plats dans les grands. Votre enfant peut vous aider pour la préparation d'une partie du repas. Choisissez ensemble la nappe, les verres… Il sera d'autant plus fier que les compliments des invités seront aussi pour lui.

Mot d'ordre

La vie sociale continue avec les enfants.

Vous pouvez lui proposer de faire des dessins pour les invités, s'il le souhaite.
Faites-le participer pendant la soirée. Il peut vous aider à prendre manteaux et sacs quand les invités arrivent et aller les chercher lors de leur départ. Ou annoncer que l'on passe à table, revenir de la cuisine avec vous en portant le pain…
Si c'est le soir et que l'enfant a déjà dîné, il sera un peu excité. Il aura sûrement envie de voir la tête de vos invités. Lui permettre de dire bonsoir et de grappiller quelques

gourmandises pendant l'apéritif est l'occasion de satisfaire sa curiosité. Les bruits qu'il entendra en s'endormant auront une signification pour lui.

Une petite astuce pour les premières fois est d'inviter la famille proche ou de très bons amis. Vous vous sentirez moins culpabilisés et plus sûrs de vous en cas de crise. Vous pourrez recevoir des connaissances plus éloignées ou de simples relations quand votre petit aura assimilé les règles.

Préparer l'enfant quand on sort sans lui

Lorsque vous sortez sans votre enfant, il est important de le prévenir. Expliquez-lui chez qui vous allez ou ce que vous allez faire (spectacle, restaurant...). Et que vous le verrez le lendemain matin, comme d'habitude. Lui permettre d'imaginer ce que vous faites quand vous n'êtes plus là peut l'aider à calmer ses angoisses.

Prenez également le temps d'examiner ensemble le déroulement de sa soirée à lui : les activités habituelles, l'arrivée de la personne qui le garde, ce qu'il va faire jusqu'à ce qu'il se couche. Rappelez-lui aussi l'attitude que vous attendez de lui pendant votre absence. Au petit déjeuner, le lendemain, vous pourrez parler de vos soirées respectives.

C'est tout bon

- Préparer les visites, qu'elles se déroulent chez des amis ou à la maison.
- Faire participer l'enfant à la préparation et au déroulement de la visite à la maison.
- Prévoir activités et jouets pour que l'enfant ne s'ennuie pas à l'extérieur.
- Le comportement de l'enfant ne doit pas modifier le déroulement de la visite.
- Intervenir dès les premiers signes de bêtises ou de désobéissance et mettre l'enfant à l'écart.
- Le parent qui a puni l'enfant décide de quand prend fin de la punition.
- Féliciter l'enfant s'il s'est bien comporté.

C'est tout faux

- Faire comme si le comportement de l'enfant était supportable, voire normal.
- Le laisser avoir des attitudes inadmissibles sans rien dire.
- Le chantage : « Si tu te tiens bien pendant que les invités sont là, tu auras un cadeau. »
- Crier plus fort que l'enfant en colère.

Les conflits autour des devoirs et des loisirs

La fin de la journée approche. Vous rentrez du travail et vos trois charmants bambins reviennent d'une journée à l'école. La plus jeune est en pleine forme. Comme tous les soirs, elle court et elle crie. Le deuxième s'installe aussitôt devant la télé, prétendant qu'il n'a pas de devoirs à faire. Quant au plus âgé, il disparaît dans sa chambre. Vous le verrez pour le dîner, s'il arrive à quitter son ordinateur. Quand votre conjoint rentre, la petite pleure, le deuxième joue dans sa chambre et l'aîné n'est pas réapparu. Les devoirs ne sont pas faits, et tout le monde est énervé, à commencer par vous.

? Ce qui se passe

Votre enfant n'en fait qu'à sa tête quand il rentre de l'école. Pourtant, il y a de nombreuses choses à faire : devoirs, bain, repas, coucher. Par où commencer ?

* « Je me défoule à la maison ! »

Depuis son entrée en maternelle, votre enfant est insupportable à la maison. Renseignements pris, sa maîtresse vous assure qu'il est sage, attentif et s'intègre bien à la vie scolaire. En revanche, dès qu'il passe la porte de la

maison, le soir, c'est un vrai ouragan. Il court partout, passe d'une activité à une autre et finit invariablement par s'énerver. Pourtant, avant, il n'était pas aussi agité en fin de journée. Vous pouviez à peu près enchaîner les rituels jusqu'au coucher. Maintenant, c'est devenu mission impossible.
La plupart des enfants ont besoin d'une activité physique intense après l'école : courir, crier… Il est vrai que les journées à l'école sont astreignantes. Votre enfant apprend le compromis et fait de nombreux efforts pour s'intégrer. Il a alors tendance à relâcher la pression en rentrant chez lui. Bien sûr, les nouvelles règles de l'école ne gomment en rien celles de la maison, et il est nécessaire que les parents réaffirment leur autorité. Il faut néanmoins garder à l'esprit que l'entrée en maternelle est un cap délicat. Votre enfant, le soir, a ainsi besoin d'être rassuré sur la permanence de l'univers familial : l'organisation à la maison doit être toujours la même, et votre amour pour lui ne change absolument pas.

* « Je ferai mes devoirs plus tard ! »

La journée d'école est terminée pour votre enfant. Après avoir posé son sac dans sa chambre, armé de son goûter, il s'installe devant la télévision. Comme tous les soirs, vous demandez : « Tu n'as pas des devoirs à faire ? » Pas de réponse… Vous entrez dans le salon, le regardez. Vous connaissez bien le déroulement de la prochaine demi-

heure. Vous allez lui demander plusieurs fois d'aller faire ses devoirs. En vain. Vous finissez par éteindre la télévision et il part prétendument travailler dans sa chambre. Un peu plus tard, vous vous rendez compte qu'il joue. Alors vous vous fâchez et criez. Votre enfant se met en colère ou pleure. C'est l'heure d'aller prendre le bain, et les devoirs ne sont toujours pas faits !

Un enfant en primaire fournit beaucoup d'efforts durant la journée d'école. Alors, à la maison, il est parfois tenté de faire passer ses désirs avant les devoirs. Son refus est souvent accentué si le cadet joue alors que lui doit travailler. Et il n'est pas assez grand pour savoir que les devoirs sont une partie indispensable de son apprentissage scolaire. Tant qu'il n'aura pas fait régulièrement ses devoirs, il ne réalisera pas non plus que l'on peut tirer du plaisir de cette contrainte. Pour découvrir cela, votre enfant a besoin de la présence de l'adulte, qui va organiser par un rituel le retour de l'école, en restant notamment présent et disponible lors des devoirs.

* « J'adore l'ordi, la télé, la console ! »

Dès que votre enfant est réveillé, il se rue sur le premier écran venu. Télévision, ordinateur, console de jeux, ces « lucarnes magiques » occupent tout son temps libre et empiètent sur ses devoirs et sa vie à la maison. Si vous lui demandez quelque chose, il a toujours une émission à

regarder, un niveau de jeu à finir... Il a toujours les yeux rivés sur un écran et ne semble pas s'intéresser à ce qui se passe autour de lui. L'extirper de ce monde conduit souvent à un conflit. Dans sa chambre, le soir, c'est pareil. Vous êtes obligé de passer plusieurs fois pour lui dire d'éteindre la télé ou un autre appareil, et de dormir. Résultat, le lendemain matin, il est souvent fatigué.

Le problème ici ne concerne pas tant les écrans que leur utilisation et le temps qui leur est consacré. Laisser un enfant décider seul de ce qu'il regarde, en pensant qu'il sera à même de faire les bons choix, est une erreur. En participant activement à la prise en main de ces outils, vous lui permettez de les utiliser à son avantage, sans être dépendant d'eux. L'utilisation de l'ordinateur, des consoles de jeux et de la télévision doit être encadrée par les parents. Les mondes imaginaires sont très attirants pour l'enfant. Et il aura parfois du mal à en sortir sans une sollicitation extérieure. Ses activités doivent également se faire avec les autres, dans la « vraie vie », pour l'aider à trouver sa place dans la réalité

Ce que je ne veux plus entendre...

Quand il regarde la télé, je peux faire autre chose !

Ce qu'on peut faire

* Piqûre de rappel

Beaucoup d'enfants ont besoin de se défouler après la journée d'école. Vous pouvez profiter du retour pour vous arrêter au square. Il pourra alors prendre son goûter et jouer avec d'autres enfants de son âge. Il aura ainsi l'occasion de décharger son énergie à l'extérieur et d'apprendre que tous les comportements ne sont pas admissibles partout : il peut jouer au foot ou faire du vélo au parc, pas dans le salon.

Le temps de l'école est aussi parfois celui de la rébellion face aux règles de la maison. Il est nécessaire pour les parents de se répéter et de réexpliquer les bases. Les rituels de la fin d'après-midi et de la soirée restent les mêmes. Ne lâchez pas les acquis que vous avez mis parfois tant de mois à conquérir. Prévenez à nouveau votre enfant que s'il refuse de faire ce que vous lui demandez, il sera puni, comme avant. S'il se met en colère, il devra se calmer et réfléchir à l'origine de sa colère, comme avant.

Son énervement est toutefois peut-être aussi lié au fait que vous lui avez manqué, surtout si vous le gardiez à la maison auparavant. Il a peut-être aussi vécu quelque chose qui l'a perturbé. Quand il a retrouvé son calme, ne manquez pas de parler avec lui, de le rassurer s'il semble

inquiet, de lui demander ce qu'il a fait, et de lui consacrer un peu de temps. Il a de toute façon encore besoin en tant qu'enfant de passer chaque soir un moment de détente ou de jeu avec ses parents.

* Un nouveau rituel : les devoirs

Ne pas laisser l'enfant organiser seul son temps quand il rentre de l'école l'aide à accomplir sans précipitation toutes les activités du soir : goûter, devoirs, bain, repas, coucher. C'est par un rituel reconnaissable et répété que vous lui permettrez de faire ses devoirs dans une plus grande quiétude. Ses leçons apprises, il pourra réellement profiter du reste de la soirée, l'esprit plus libre. Vous évitez ainsi le conflit et les pleurs liés aussi à l'angoisse de ne pas avoir fait son travail.

Quand il est à la maison et qu'il a goûté, il se détend, mais à la même heure chaque soir (dix-huit heures, par exemple), il doit faire ses devoirs. Ne l'envoyez pas seul dans sa chambre. Arrêtez votre activité et demandez-lui de se mettre à côté de vous à table et de vous montrer son cahier de textes. Ensemble, vous regardez ce qu'il a à faire. Vous restez disponible pendant qu'il travaille pour lui expliquer si besoin les énoncés des exercices. Le bon équilibre est de lui laisser de l'autonomie dans son travail tout en le soutenant s'il en éprouve le besoin. À la fin, vous faites réciter les leçons, si nécessaire. Quand il a bien fait

ses devoirs, vous pouvez le féliciter. S'il a du mal, ne le dévalorisez pas, mais aidez-le. Il n'a peut-être pas bien compris ce qu'on lui demande. Nous oublions parfois que c'était dur d'apprendre à lire, à écrire et à compter. C'est si loin maintenant pour nous !

* Moins d'écrans pour toute la famille

Prévenez votre enfant que le temps passé devant les écrans va être réorganisé. La télévision, l'ordinateur et les consoles seront dans une pièce commune. Il est ensuite nécessaire de mettre en place certaines règles. On regarde une émission parce qu'on l'a choisie, pas parce que la télévision est allumée. Prenez donc le temps de sélectionner chaque semaine les programmes qu'il regardera. Donnez-lui le choix. Si le programme passe à une heure où il a une autre activité, enregistrez-la. Il pourra la visionner plus tard. C'est le téléspectateur qui décide quand il la regarde, pas la télévision !

Mot d'ordre

Aidez votre enfant à organiser son temps.

Pour les petits, l'utilisation de DVD ou de CD-Rom est bien pratique. Vous savez ainsi ce qu'ils regardent et vous évitez toute image choquante. Ils sont d'ailleurs souvent demandeurs des mêmes films ou des mêmes jeux, dont ils connaissent déjà le déroulement.

Les devoirs de vacances

Selon les parents, les enseignants et les psychologues, les avis diffèrent. Pour certains, les devoirs de vacances sont indispensables pour ne pas perdre les acquis et bien préparer l'année à venir, pour d'autres, ils ne servent à rien, car de nombreuses activités estivales permettent de les remplacer (rédaction des cartes postales, budget loisir géré par l'enfant...). Si vous souhaitez que votre enfant fasse des devoirs de vacances, laissez-le d'abord se reposer. Au milieu de l'été, vous pouvez vous atteler à la tâche ensemble. Définissez avec lui en fonction de ses autres activités le meilleur moment pour l'étude. Un temps de trois quarts d'heure, trois à quatre fois par semaine, est largement suffisant vers 6 ou 7 ans. L'important est que vous soyez là pour le soutenir et l'aider en cas de besoin. Un excellent moyen pour tout le monde de prendre de bonnes habitudes avant la rentrée.

Si vous êtes perdu face aux ordinateurs, pourquoi ne pas aborder le problème autrement ? Allez prendre avec votre enfant quelques cours d'informatique. Ce temps passé ensemble sera un moment d'échanges qui renforcera votre relation.

Enfin, il n'y a pas de secret. Si vous voulez que votre enfant passe moins de temps devant un écran, vous devez lui proposer d'autres activités. Coupez la télé pendant les repas, et profitez de ce moment pour discuter. Sortez vous promener avec lui, partagez vos passions… L'écran, quel qu'il soit, ne doit pas être la solution pour l'occuper quand il s'ennuie. Attention aussi à la télé le soir avant le coucher ; c'est un stimulant et elle risque de perturber le sommeil de votre enfant. À visionner le mercredi et/ou le week-end aux heures choisies par vous.

Ce que je ne veux plus entendre…

Moi aussi, à son âge,
je détestais faire mes devoirs !

C'est tout bon

- Les parents aident les enfants à organiser et à choisir leurs loisirs.
- Donner des heures pour les loisirs à la maison (jeux, télé, ordinateur…).
- Faire ses devoirs avec ses parents.
- Regarder la télévision en famille.
- Utiliser l'ordinateur avec papa ou maman.
- Jouer à la console de jeux à plusieurs.
- Tenir compte des indications d'âge sur le programme télé et les jeux pour console ou ordinateur.

C'est tout faux

- Mettre son enfant devant la télévision ou un autre écran quand il s'ennuie.
- Laisser traîner la télécommande.
- Mettre un téléviseur ou un ordinateur dans la chambre de l'enfant.
- Laisser la télévision ou l'ordinateur allumé en permanence.

Avec la collaboration rédactionnelle de Guillaume Bourmont

Direction :
Jean-François Moruzzi (Hachette Pratique) / Franck Tirlot (M6 Éditions)

Direction éditoriale :
Pierre-Jean Furet (Hachette Pratique) / Stéphanie Pelleray (M6 Éditions)

Édition :
Tatiana Delesalle-Féat (Hachette Pratique) / Marie Paumier (M6 Éditions)

Lecture-correction :
Vladimir Pol

Illustration de couverture :
Troll

Conception intérieure et couverture :
Salah Kherbouche

Réalisation :
Catherine Le Troquier

Fabrication :
Amélie Latsch

Responsables partenariats :
Sophie Augereau au 01 43 92 36 82 (Hachette Pratique) /
Églantine Deneux au 01 41 92 66 12 (M6)
Contact FremantleMedia : Nathalie Delin (01 46 62 12 91)

Channel Four Television Corporation 2004.
Distribution : Channel Four International Limited.

Produit en France par FremantleMedia.

Imprimé en Espagne par Unigraf
Dépôt légal : février 2010
ISBN : 978-2-01-237924-4
23-28-7924-01-6

Avec la collaboration rédactionnelle de Guillaume Bourmont

Direction :
Jean-François Moruzzi (Hachette Pratique) / Franck Tirlot (M6 Éditions)
Direction éditoriale :
Pierre-Jean Furet (Hachette Pratique) / Stéphanie Pelleray (M6 Éditions)
Édition :
Tatiana Delesalle-Féat (Hachette Pratique) / Marie Paumier (M6 Éditions)
Lecture-correction :
Vladimir Pol
Illustration de couverture :
Troll
Conception intérieure et couverture :
Salah Kherbouche
Réalisation :
Catherine Le Troquier
Fabrication :
Amélie Latsch
Responsables partenariats :
Sophie Augereau au 01 43 92 36 82 (Hachette Pratique) /
Églantine Deneux au 01 41 92 66 12 (M6)
Contact FremantleMedia : Nathalie Delin (01 46 62 12 91)

Channel Four Television Corporation 2004.
Distribution : Channel Four International Limited.

Produit en France par FremantleMedia.

Pour l'Éditeur, le principe est d'utiliser des papiers composés de fibres naturelles, renouvelables, recyclables et fabriquées à partir de bois issus de forêts qui adoptent un système d'aménagement durable. En outre, l'Éditeur attend de ses fournisseurs de papier qu'ils s'inscrivent dans une démarche de certification environnementale reconnue.

Imprimé en Espagne par Unigraf
Dépôt légal : février 2010
ISBN : 978-2-01-237924-4
23-28-7924-01-6